¡Usted se Puede Convertir en el Millonario de laPuerta de al Lado!

Estimado lector:

Hace cien años era virtualmente imposible que una persona promedio se convirtiese en millonario. Mire las estadísticas de los estilos de vida a principios del siglo XX:

En 1900, el salario promedio era 22 centavos por hora. El trabajador promedio devengaba entre doscientos y cuatrocientos dólares al año, muy por debajo de la línea de la pobreza de la época. Sólo el seis por ciento de todos los Norteamericanos se habían graduado de bachilleres. La expectativa de vida estaba alrededor de los 47 años de edad. Sólo el catorce por ciento de los hogares tenía una tina de baño. Había ocho mil carros en todos los Estados Unidos y sólo 144 millas de carreteras pavimentadas. Hasta la primera guerra mundial, la familia promedio estadounidense gastaba el ochenta por ciento de sus ingresos en las necesidades básicas de alimentación, vivienda, y vestuario.

En otras palabras, hace 100 años, había básicamente dos clases económicas: los ricos, y los demás.

Sólo una de cada 10 familias era una familia de clase media o alta. Quiere decir que en 1900, el noventa por ciento de los ciudadanos de los Estados Unidos se hubiese clasificado como pobre.

La clase media aún hoy vive de quincena en quincena

Adelante la maquina del tiempo cien años y lleguemos al año 2001.

La media del ingreso familiar hoy día en los Estados Unidos es U$47.000. Hay más automóviles en este país que personas. La mayoría de las familias son dueñas al menos de dos televisores. La expectativa de vida hoy es setenta y cinco años de edad. Hoy, la gente promedio tiene más ingreso disponible… más tiempo libre … y más opciones de estudiar una carrera que jamás en la historia.

Aún así, la mayoría de las setenta y dos millones de familias de la nación todavía vive de quincena en quincena. ¡Si se sacara de la ecuación del patrimonio familiar, el hogar, el automóvil y los muebles, entonces los activos de la familia promedio serían iguales a CERO! Mientras que el ingreso familiar está subiendo, también lo están haciendo, de igual modo, el nivel de deuda y el número de horas que se invierten en el trabajo.

¿Qué es lo que está mal en este esquema?

¿Está conectado al sistema equivocado?

Lo que está mal es que la mayoría de las personas ha comprado el plan equivocado. Están conectados al sistema equivocado. Y, carecen de la comprensión básica acerca de cómo se crea la riqueza y cómo ésta se acumula.

Voy a hacer un enunciado osado que tal vez lo escandalice. Pero es absolutamente e inequívocamente cierto. ¿Está listo?

¡La simple y llana verdad es, que hoy día, convertirse en millonario es un asunto de selección, no de oportunidad!

Así es — hoy en día, virtualmente cualquiera que perciba un ingreso de clase media se puede convertir en millonario. ¿Cree que es imposible? Para nada. Hacerlo, actualmente, es bastante simple.

Si usted quiere convertirse en millonario hoy, lo único que tiene que hacer es seguir tres pasos fielmente:

1. Entender cómo se crea y se acumula la riqueza.
2. Copiarse de sistemas comprobados de creación de riqueza.
3. Ser consistente a lo largo del tiempo

Así de simple — Eso es todo lo que se necesita para que una persona promedio acumule millones de dólares en activos: entender, copiarse y, ser consistente.

Qué aprenderá usted en este libro

En este libro va a aprender acerca de estrategias comprobadas que las personas promedio pueden seguir para crear la genuina libertad financiera para sí mismos y para sus familias. Estas estrategias son sencillas de seguir y están comprobadas al pasar la prueba del tiempo. ¡Y, ellas han convertido a millones de personas en millonarios en los últimos cincuenta años!

Amigos, convertirse en millonario no es hoy en día una cosa de buena fortuna. O, de suerte. Es sencillamente un asunto de aprendizaje y de seguimiento de las estrategias comprobadas para la creación de riqueza.

En las palabras de un éxito de venta titulado, *El Millonario de al lado*, «la gran mayoría de los millonarios no son descendientes ni de la familia Rockefeller ni de la familia Vanderbilts. Más del ochenta por ciento son personas comunes y corrientes que han acumulado su riqueza en una sola generación».

Reflexionemos al respecto— «más del ochenta por ciento de los millonarios son personas comunes y corrientes». Esta estadística comprueba lo que les dije anteriormente — ¡Hoy en día, convertirse en millonario es una cuestión de selección, no de oportunidad!

Mi meta al escribir la *Parábola del conducto* es enseñarles las estrategias que han utilizado los adinerados durante siglos para crear y acumular riqueza. Estas estrategias antes estuvieron reservadas para un grupo privilegiado. Inclusive si uno conocía dichas estrategias a principio de 1900, muy probablemente no hubiese tenido el capital o los contactos para poder explotarlas. Ese no es el caso de hoy en día.

Ahora, por virtud de las mejoras tecnológicas… y el incremento de los ingresos de la clase media … y un modelo de negocios innovador que yo llamo «e—

compuesto» ... virtualmente cualquier persona de clase media con una educación de bachiller o mayor, puede apalancar su dinero y su tiempo y las relaciones interpersonales para crear libertad financiera y personal.

Al seguir las estrategias plasmadas en este libro, usted, también, va a poder convertirse en ese vecino que es millonario. ¡Bienvenido a esta nueva vecindad!

Atentamente

LA
PARÁBOLA
DEL
CONDUCTO

La parábola del conducto

¡Cómo cualquiera puede hacerse aun chorro de ingreso residual continuo en la nueva economía!

Derechos de autor 2001 por Burke Hegges & Steve Price

Impreso en Estados Unidos
© **Giron Books 2011**

ISBN-974-13939-4-6

Diseño de carátula: Diseños Cherry
Diseño Gráfico: Bayou Graphics

DEDICATORIA

A cada uno de los que tiene la sabiduría para convertirse en un constructor de conductos ... y está dispuesto a compartir dicha sabiduría con otros.

RECONOCIMIENTOS

La disciplina, la determinación, el enfoque, y la paciencia son todas palabras que me llegan a la mente cuando pienso en el Doctor Steve Price, quien fue la espina dorsal en la exitosa culminación de este manuscrito. Steve eres extremadamente talentoso y persistente en ver que un proyecto termina apenas nace. Yo lo aprecio, y en mis ojos, eres realmente un «invaluable» socio.

Por siempre estaré agradecido con Katherine Glover, presidente de INTI publicaciones. Katherine es una líder extraordinaria, y sus contribuciones y la atención que le prestó a los detalles a lo largo de la creación y al desarrollo de este libro son y fueron invaluables.

Quiero también agradecer a Donna Morrison por el trabajo tan sobresaliente que realizó al dar una distribución gráfica fácil de leer. Donna, siempre es un placer trabajar contigo.

Muchas y muchas gracias a Liz Cherry y a su equipo creativo por el diseño maravilloso de la carátula. «Cherry Design» realmente fue exitosa al lograr transmitir el maravilloso poderío del ingreso residual.

Cualquier reconocimiento que yo haga no estaría completo sin darle gracias a todos los miembros del equipo INTI: Sandee Lorenzen quien hace que las operaciones en INTI funcionen con la precisión de un reloj suizo: Dee Garrand diseñador y supervisor de cinco de los mejores sitios Web en la industria; Cindy Hodge quien no solamente opera la bodega de manera eficientemente, sino también lo hace con una sonrisa y con gracia en su voz; Jewel Parago, Gerente Financiero, un experto en computación y un mago de la contabilidad todo ensamblado en uno (¿qué haríamos nosotros sin ti Jewel?).

Por último, quiero darle las gracias a mi padre por haberme recalcado cuando era un adolescente que en la vida, son los conductos los que son las fuentes de la vida. Papá gracias por tu paciencia y tu sabiduría perenne.

CONTENIDO

DEL ESCRITORIO DE BURKE HEDGES

¡Sus conductos son las fuentes de vida!

Ya han pasado 25 años desde que murió mi padre. Pero todavía puedo acordarme de los juegos de ajedrez a tempranas horas de la mañana como si hubiese sido ayer.

Recuerdo ayudar a mi papá a que parara las piezas del tablero estando en el patio de atrás de nuestra casa en la playa la cual tenía vista hacia el Océano Pacífico en las costas del Ecuador.

Tengo memoria de mirar las olas y ver cómo rompían contra la arena blanca de la playa.

Me acuerdo de la fragancia hibisco flotando en la espuma del agua marina.

Recuerdo ver el tenue ocaso que se escondía detrás del gris horizonte.

Jugábamos ajedrez hasta el anochecer. Mi padre hablaba. Yo escuchaba.

«Nunca asumas nada», me acuerdo que me decía una y otra vez a medida que él divisaba el horizonte.

De príncipe a paupérrimo en un día.

«Nunca asumas nada».

Mi padre se refería al año de 1959, el año en el que Fidel Castro se apoderó de Cuba. Antes de la revolución mi padre era uno de los hombres más ricos de Cuba. De acuerdo con un artículo en la revista Time, él valía más de veinte millones de dólares (lo cual, calculado a los precios de hoy, equivaldría al menos a 200 millones de dólares). Él era dueño de varios negocios distintos, incluidos una algodonera, unas tiendas de ventas al detal, unas de alambres, una planta manufacturadora de químicos, y también tenia bienes raíces.

Cuando Castro tomó el poder, mis padres se escaparon a Jamaica con sólo una muda de ropa. Los negocios de ellos y sus cuentas bancarias fueron confiscados bajo el pretexto comunista de haber cometido lo que ellos llaman "Crímenes contra el pueblo».

El «Crimen» de mi padre había sido tener éxito… y luego haber asumido que ese éxito siempre estaría ahí. En retrospectiva, él debió sacar algunos de sus activos fuera del país. Él asumió que Castro nunca sería capaz de llegar al gobierno.

Mi padre se equivocó. Y le costó su fortuna.

La premonición de los conductos

Mi papá hizo lo mejor que pudo para reconstruir su emporio. Pero una mala situación económica nacional y un corazón marchitado conspiraron para prevenir que él resurgiera. No era que estuviese amargado en sus días finales. Sencillamente él estaba desilusionado con el hecho de que ya no le quedaba mucho más tiempo en la tierra.

Por lo tanto a medida que nosotros jugábamos ajedrez, mi padre hizo lo mejor que pudo para enseñarme los principios claves que me permitirían amasar una pequeña fortuna antes de que llegara a cumplir cincuenta años.

Mi padre con frecuencia me daba sermones acerca de la importancia de ser dueño de un negocio propio. Decía que ser dueño significaba independencia y control. En lo que a mi padre respecta, mientras más negocios tenía uno, mejor estaba.

«Los conductos son las fuentes de vida», solía decir. Yo aprendí la lección y la tomé muy a pecho. Abrí mi propio negocio cuando apenas tenía 25 años de edad. Hoy en día soy propietario de varios negocios que crecen rápidamente.

Irónicamente, una de mis compañías, «Equibore» es un negocio de conductos y de tuberías — ¡literalmente! «Equibore» instala tuberías subterráneas para la 'vieja economía', al servicio de la compañía de servicios públicos para la instalación de tuberías de agua y de gas puerta a puerta. Las compañías de Telecomunicaciones de 'la nueva economía', utilizan estas tuberías para cablear su fibra óptica, que son los conductos del futuro.

Mi padre rico y el padre de él, que también era rico

Mi padre era un gran creyente en la diversificación.

Por eso es por lo que él tenía 12 negocios distintos en 12 industrias diferentes.

«Si uno solamente tiene un 'chorro' como fuente de ingresos, entonces solamente tiene una fuente de vida», decía él a medida que me capturaba uno de mis peones en el Ajedrez». Mientras más chorros tenga uno, mejor está».

Hace unos cuantos meses conseguí una cinta de áudio de Roberto Kiyosaki titulada: *"Lo que mi padre, el adinerado, me enseñó acerca de invertir"*. Kiyosaki relata una breve historia acerca de dos hombres jóvenes que fueron contratados para suministrar agua a una aldea utilizando un lago, que estaba ubicado a una milla de distancia, como fuente de agua. Uno de los jóvenes utilizó baldes para transportar el agua. El otro joven construyó una tubería, un conducto. A la larga, el joven que construyó la tubería tuvo mejor suerte que el que la transportaba con baldes.

La cinta de Kiyosaki me hizo rememorar las lecciones que mi padre me había enseñado hacia 25 años. Esa tarde yo fui a mi casa y anoté en diez hojas de papel algunos apuntes para un nuevo libro que explicaría el paralelo que existe entre las tuberías o los chorros y las fuentes de vida para urgir a los lectores a que diversifiquen sus fuentes de ingreso al construir tanto conductos a corto plazo como conductos a largo plazo.

Opté por titular ese libro, *La parábola del conducto*.

Tres meses más tarde le entregué a mi editor el manuscrito del libro que ustedes tienen en sus manos hoy.

Construir un conducto propio

A lo largo de los años yo he asimilado los consejos de mi padre y he construido varios conductos altamente rentables. No soy dueño de doce negocios distintos como lo fue mi padre. Y todavía no tengo veinte millones de dólares.

Pero estoy trabajando para alcanzar esa meta.

Las tuberías están diseñadas para eliminar las preocupaciones de la vida de las personas al proveer utilidades canalizadas hacia los bolsillos propios. Pero sobre todas las cosas, las tuberías están diseñadas para darle a las personas la libertad financiera y personal, y una seguridad para toda la vida.

En suma, las tuberías son fuentes de vida.

A mi papá un dictador le arrebató las fuentes de vida. Y él nunca se recuperó. Las personas en este país están bendecidas — nosotros nunca vamos a dejar que un dictador nos arrebate las fuentes de vida. Sólo nosotros mismos podemos dejarlas escapar sin aprovecharlas.

¿Cómo?

¡Al no tomar la iniciativa de construirlas!

Aprendan la lección de mi padre — no asuman

que mañana será lo mismo que hoy. ¡Nunca lo va a hacer! La única seguridad que existe es la seguridad de tener un chorro propio.

¡Yo pretendo urgirlos para que empiecen hoy a construir sus propios conductos ... para que así tengan fuentes de vida en el mañana!

INTRODUCCIÓN

La Parábola del Conducto

En 1801, en alguna villa del centro de Italia

Había una vez hace mucho, mucho tiempo, dos primos ambiciosos uno llamado Pablo y el otro llamado Bruno. Vivían uno contiguo al otro en una pequeña aldea de Italia. Los jóvenes eran camaradas.

Ambos eran grandes soñadores.

Ellos hablaban interminablemente acerca de cómo algún día, de alguna manera, ambos se convertirían en los hombres más ricos de la aldea. Los dos eran muy inteligentes y trabajadores. Lo único que ellos necesitaban era una oportunidad.

Un día esa oportunidad llegó. La aldea decidió licitar el trabajo de transportar agua desde el río cercano hasta la cisterna que estaba en la plaza central. El contrato se lo adjudicaron a Pablo y Bruno.

Cada hombre tomó dos baldes y se dirigió al río. Al final del día, ellos habían llenado el aljibe hasta el borde. El jefe de la aldea les pagó un centavo por cada balde de agua.

«¡Este es nuestro sueño hecho realidad!», Exclamó Bruno.

«No puedo creer nuestra buena fortuna».

Pero Pablo no estaba tan seguro. Su espalda le dolía y sus manos estaban llenas de ampollas por haber transportado los pesados baldes llenos de agua. Él detestaba la idea de tener que levantarse en la mañana siguiente para ir a trabajar. Detestaba la idea de tener que llevar de nuevo nuevos baldes. Entonces él se prometió así mismo que pensaría en una mejor manera de cómo hacer que el agua del río llegase a la aldea.

Pablo, el hombre de los conductos

"Bruno, yo tengo un plan", dijo Pablo a la mañana siguiente a medida que cada uno de ellos tomaba los baldes para dirigirse al río. «¿En vez de estar llevando baldes en nuestras espaldas por centavos cada día, por qué no construimos una tubería desde el río hasta la aldea?»

Bruno se detuvo estupefacto.

«¡Una tubería! ¿Quién ha escuchado tal cosa?»

Gritó Bruno. «Nosotros tenemos un gran empleo", Pablo.

Yo puedo transportar más de cien baldes al día. ¡A un centavo cada balde, eso es más de un dólar por día! ¡Ya soy rico! Al final de la semana, yo ya podría comprarme un nuevo par de zapatos. Para el final del mes, una vaca. Para dentro de seis meses, ya podré comprarme una nueva cabaña. Nosotros tenemos el mejor empleo de la ciudad. Tenemos los fines de semana libres y nos pagan dos semanas al año de vacaciones remuneradas. Estamos hechos para el resto de nuestras vidas. ¡Qué es eso de una tubería!

Pero Pablo no se desilusionó tan fácilmente. Él, pacientemente, le explicó el plan de la tubería a su mejor amigo. Consistía en que Pablo trabajaría parte del día llevando baldes y el resto del tiempo lo dedicaría a construir una tubería para tener un chorrito. De ser necesario trabajaría incluso los fines de semana en construir la tubería. Sabía que sería un trabajo arduo cavar la canaleta por donde esta pasaría por lo que el suelo era rocoso. Además sabía que como le pagaban por cada baldado de agua, sus ingresos se menguarían al principio. Él también era consciente de que le tomaría un año o posiblemente dos, terminar el proyecto de la tubería y que este proyecto empezaría a generar dividendos sólo después de ese lapso. Pero Pablo creía en su sueño, y empezó a trabajar.

La tubería en Progreso

Bruno y el resto de los aldeanos empezaron a burlarse de Pablo, llamándolo «el hombre de los conductos». Bruno, que estaba ganando casi el doble de lo que ganaba Pablo, se ufanaba de sus nuevas adquisiciones. Él compró un burro y una silla de cuero para éste, y lo mantenía atado en las afueras de su nueva cabaña de dos pisos. También se dio gusto estrenando ropas vistosas y comprando exquisitas viandas en la posada del pueblo. Los aldeanos lo llamaban el Señor Bruno, y lo vitoreaban cada vez que invitaba a una ronda en la taberna, además celebraban ruidosamente los chistes que contaba.

Las pequeñas acciones redundan en grandes resultados.

Mientras Bruno descansaba en su hamaca por las tardes y durante los fines de semana, Pablo seguía cavando la zanja para su nueva tubería. Los primeros meses Pablo no tenía mucho que mostrar como resultado de sus esfuerzos. El trabajo era arduo —inclusive mucho más o pesado que el de Bruno porque Pablo estaba trabajando por las tardes y durante los fines de semana también.

Pero Pablo se recordaba así mismo que el sueño del mañana se construía hoy a fuerza de sacrificios. Día tras día cavaba un centímetro a la vez.

«Centímetro a centímetro se avanza» se decía así mismo a medida que enterraba su pica en el suelo rocoso. Los centímetros se convirtieron en metros... los metros en decámetros ... y luego en veinte metros y después en cientos de metros …

«Los esfuerzos dolorosos en el corto plazo son iguales a los grandes resultados en el largo plazo», él se recordaba a sí mismo a medida que se tambaleaba, rumbo a su hogar, exhausto por el día de trabajo. Él media el éxito diario al fijarse metas y cumplirlas, a sabiendas de que, a largo plazo, los resultados excederían con creces a los esfuerzos.

«Mantenga fija su vista sobre el premio», se repetía una y otra vez cuando caminaba sin aliento dispuesto a dormir, a pesar de estar acompañado de las ruidosas risas de los aldeanos en la taberna.

« Mantenga su vista fija en el premio…»

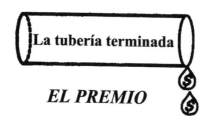

Se Voltean las Cosas

Los días se convirtieron en meses. Un día Pablo se dio cuenta de que su tubería ya estaba terminada hasta la mitad del trayecto, lo que significaba que él solo tenía que caminar media distancia para llenar sus baldes. Por lo tanto Pablo utilizó su tiempo extra para trabajar en la tubería. La fecha de culminación se acercaba cada vez más rápidamente.

Durante sus recesos de descanso, Pablo miraba a su amigo Bruno transportar los baldes. Éste último estaba más jorobado que nunca. Él estaba torcido del dolor, y sus pasos eran cada vez más lentos debido al trabajo tan pesado. Bruno no sólo tenía la espalda inflamada sino que estaba iracundo, resentido por el hecho de que estaba condenado a transportar baldes, día tras día, durante el resto de su vida.

Él empezó a invertir menos tiempo en su hamaca y más tiempo en la taberna. Cuando los clientes de la taberna veían que Bruno venía, susurraban: «Ahí viene Bruno el hombre de los baldes», y empezaban a reírse cuando el borracho del pueblo imitaba la postura de Bruno y su caminado. Bruno ya no le compraba rondas a los aldeanos y tampoco contaba chistes. Prefería estar sentado en una esquina oscura rodeado de botellas vacías.

¡Finalmente, el gran día de Pablo llegó —la tubería estaba terminada! ¡Los aldeanos lo rodearon para ir a ver cómo el agua llegaba, a través de la tubería, hasta la cisterna de la aldea! Ahora por fin, el pueblo tenía un suministro constante de agua, y los vecinos de la campiña se mudaron hacia la aldea. Ésta creció y prosperó.

NO　　　　　**SI**

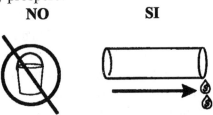

Una vez que la tubería se había terminado, Pablo ya no tenía que transportar más baldes. El agua fluía bien sea que él trabajase o no. Fluía mientras él comía. Fluía mientras él dormía. También funcionaba los fines de semana mientras él jugaba. Y mientras más agua llegaba constante al aljibe de la aldea, más dinero le llegaba al bolsillo de Pablo.

Pablo, el hombre de las tuberías, más tarde fue conocido como Pablo el hacedor de milagros. Los políticos lo citaban por su visión y le rogaban que se lanzase como Alcalde. Pero Pablo comprendió que él no había realizado ningún milagro, sencillamente era el primer paso de un gran, gran sueño. Verán, Pablo tenía sueños que iban más allá de la aldea.

¡Pablo tenía la intención de construir conductos a lo largo y ancho de todo el mundo!

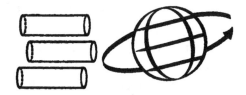

Reclutar a los amigos para que le ayuden

La tubería hizo que Bruno el hombre de los baldes quebrara en su negocio, y era muy doloroso para Pablo ver a su viejo amigo mendigando tragos gratis en la taberna. Por lo tanto, Pablo decidió concertar una reunión con Bruno.

«Bruno, he venido aquí para pedirte ayuda.»

Bruno enderezó sus hombros jorobados, y sus ojos hicieron un guiño de extrañeza. «No te burles de mí», dijo Bruno displicentemente.

«No he venido aquí para hacer chanzas», dijo Pablo.

«He venido aquí para ofrecerte una gran oportunidad de negocios. A mí me tomó más de dos años terminar mi primera tubería. ¡Pero aprendí mucho durante ese tiempo! Ya sé qué herramientas debo utilizar, dónde debo de excavar y cómo debo tender la tubería. He guardado mis apuntes mientras hacía el trabajo, y he desarrollado un sistema que me permitirá construir otro conducto... y luego otro. ... y luego otro...

«Yo podría construir una tubería por año trabajando sólo. Pero esa no sería la mejor manera de aprovechar mi tiempo. Lo que planeo hacer es enseñarte a ti y después a otros, cómo construir conductos ... y luego hacer que ellos les enseñen a otros ... y así hacer que cada uno de ellos le enseñe a otros ... hasta que haya una tubería en cada aldea de la región ...y luego una tubería en cada aldea de cada país ... y eventualmente, una tubería en cada aldea del mundo.

«Imagínatelo», continuó diciendo Pablo: «podríamos ganarnos un pequeño porcentaje por cada galón de agua que fluyera a través de cada uno de esos conductos. Mientras más agua fluya a través de dichas tuberías, más dinero va a fluir rumbo a nuestros bolsillos. ¡La tubería que construí no es el final del sueño! ¡Es tan sólo el comienzo!»

Bruno finalmente vio el panorama global. Sonrió y le extendió a su viejo amigo la mano ahora llena de callos. Se dieron la mano ... y luego un fuerte abrazo como cuando eran viejos amigos.

Sueños de conductos en un mundo donde solamente hay gente que utiliza baldes

Los años pasaron. Pablo y Bruno hacia años que se habían retirado. El mundo del negocio de las tuberías que ellos habían fundado todavía bombeaba agua y a la vez millones de dólares al año rumbo a sus cuentas bancarias. Algunas veces en sus viajes a la campiña, Pablo y Bruno pasarían junto a aldeanos que aún transportaban aguas en baldes.

Estos dos, que habían sido amigos desde la niñez, a veces se orillaban y hablaban con los jóvenes que encontraban en el camino para relatarles la historia de ellos y les ofrecían la oportunidad de que construyeran su propia tubería. Algunos de estos jóvenes escuchaban y aprovechaban la oportunidad de iniciar su propio negocio de tuberías. Tristemente sin embargo, la mayoría de las personas que transportaban baldes descartaban rápidamente la noción de una tubería. Pablo y Bruno escuchaban siempre las mismas excusas una y otra vez.

«No tengo tiempo.»

«Mi amigo me dijo que él conocía un amigo de un amigo que había ensayado construir una tubería y quebró.»

«Sólo los primeros que construyen la tubería son los que realmente pueden obtener ganancias de ese negocio de conductos.»

«Yo he transportado baldes toda mi vida. Zapatero

a tus zapatos, yo me encargaré de hacer lo que sé hacer».

«Yo conozco personas que han perdido una fortuna en negocios de conductos, estos terminan siendo una estafa. A mí, eso no me va a pasar».

Entristecía mucho a Pablo y a Bruno que tantas personas carecieran de visión.

Pero ambos hombres al final se resignaron a aceptar que vivían en un mundo de transportadores de agua en baldes… y que sólo un pequeño porcentaje de personas sería lo suficientemente osado cómo para construir sueños de conductos.

PARTE I

*Vivimos en un mundo de
transportadores de agua en baldes.*

¿Quién es usted? — ¿Un transportador de agua en baldes? O, ¿Un constructor de conductos?

> "Bruno, yo tengo un plan", dijo Pablo a la mañana siguiente a medida que cada uno de ellos tomaba los baldes para dirigirse al río. «¿En vez de estar llevando baldes en nuestras espaldas por centavos cada día, por qué no construimos una tubería desde el río hasta la aldea?»
>
> Bruno se detuvo estupefacto.
>
> «¡Una tubería! ¿Quién ha escuchado tal cosa?» Gritó Bruno. «Nosotros tenemos un gran empleo».
>
> —De *La Parábola de los conductos*.

¿**Q**uién es usted? … ¿Un transportador de agua en baldes? o, ¿Un constructor de conductos?

¿A usted le pagan sólo cuando se presenta al trabajo y hace la tarea, al igual que Bruno cuando era un transportador de agua en baldes? O, ¿por casualidad hace el trabajo una vez y le pagan una y otra vez sin parar, al igual que a Pablo el constructor de tuberías?

Si usted es como la mayoría de las personas, está trabajando un plan de transportador de agua en baldes. Yo lo llamo «La trampa del tiempo por dinero.» El patrón de desempeño es algo así: una hora de trabajo es igual a una hora de remuneración.

Un mes de trabajo es igual a un mes de remuneración.

Un año de trabajo es igual a un año de remuneración.

¿Suena familiar?

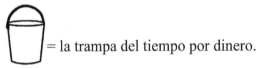 = la trampa del tiempo por dinero.

El problema con estar transportando agua en baldes es que el dinero deja de ingresar cuando uno deja de transportar baldes. Lo cual quiere decir que el concepto de un «empleo seguro» o «un trabajo de ensueño» es una ilusión. El peligro inherente al plan de 'llevar agua en baldes' es que el ingreso es puntual y temporal en vez de continuo.

Si Bruno se hubiese despertado una mañana con un dolor de espalda y no se hubiera podido salir de la cama, ¿cuánto dinero creen ustedes que hubiera ganado ese día? ¡Cero! ¡Si no trabaja, no gana ni un peso!

Lo mismo ocurre con cualquier tipo de empleo que es similar a transportar agua en baldes. Los cargadores de agua en baldes una vez que hayan consumido todos sus días de descanso y vacaciones, si no continúan transportando agua en baldes, ellos no van a continuar recibiendo una quincena. Así de sencillo y punto.

Los dentistas ya no pueden seguir transportando el agua en baldes

Aquí les tengo un ejemplo de la vida real. Mi antigua odontóloga era la mejor que yo jamás había tenido. Ella era una profesional cabal —tenía muy buenos modales. Era una gran personalidad. Tenía gran técnica — cada visita era virtualmente libre de dolor. Adicionalmente, ella amaba lo que hacía, y decidía su propio horario. El consultorio lo abrían solamente tres días a la semana (así que ella podía tener fines de semana de cuatro días con su familia). Devengaba más de cien mil dólares al año trabajando solamente tres días por semana en un empleo que adoraba. Este era un trabajo de ensueño para una 'transportadora de agua en baldes,' si es que jamás ha existido eso de un empleo de ensueño.

Sólo hubo un pequeño problema. Antes de cumplir ella cuarenta años, empezó a padecer artritis y sus manos ya no podían desempeñar el trabajo. Hoy en día ella enseña en una Universidad local teniendo ingresos iguales a un tercio de lo que devengaba cuando ejercía su profesión. Sin que ella tuviese culpa alguna, su empleo de ensueño desapareció.

¿Ahora ven a lo que me refiero cuando digo que no hay tal cosa como un empleo 'de transportar agua en baldes' seguro? ¿Pueden vislumbrar que tan vulnerables son los 'transportadores de agua en baldes'? El problema con la trampa del tiempo por dinero es que si uno no tiene el tiempo, uno no puede recibir la remuneración.

Pablo el constructor de tuberías reconoció las limitaciones de transportar agua en baldes muy pronto — y él se propuso crear un sistema con el cual él podría continuar recibiendo remuneración sin importar si le invertía más tiempo o no.

Pablo comprendió que no hay seguridad en transportar baldes de agua. Él comprendió que la tubería era una línea de soporte de vida, un chorro continuo de vida.

¿Qué pasaría si no pudiera dedicarle las horas necesarias al trabajo?

Cuénteme. ¿Qué me puede decir acerca de usted? — ¿Qué haría si dejara de tener ingresos a partir de mañana?

¿Qué pasaría si lo despidieran de su trabajo?…

¿Qué pasaría si se enfermara o quedara inválido y no pudiera 'transportar más esos baldes de agua'?

¿Qué pasaría si una emergencia médica se comiera todos sus ahorros?

¿Qué pasaría si la inversión que ha hecho para su

jubilación se evaporara de la noche a la mañana?

Dígame, ¿si dejara de tener ingresos a partir de mañana, durante cuánto tiempo sería capaz de pagar la hipoteca de su vivienda? ...

¿Y el préstamo del automóvil? ... O ¿hasta cuando podría pagar el colegio de los niños?

¿Seis meses? ¿Tres meses? ¿Tres semanas?

Su inversión para el futuro

¿6 Meses?　　¿3 Meses?　　¿3 Semanas?

¿Si fuera víctima de un desastre, tendría un mecanismo de supervivencia que lo protegiera, es decir protegiera tanto a la familia como a usted? O, ¿Acaso está poniendo todas sus apuestas a que ese empleo de 'transportar agua en baldes' va a continuar mientras usted necesite un ingreso?

No importa si trabaja detrás de una escoba de un papel o de un escritorio como profesional, aún sigue intercambiando una unidad de tiempo por una unidad monetaria.

¿Dónde está la seguridad en ese proceso?

Los chorros generan ingresos mientras juega

Cómo Dijo Pablo, «¡Tiene que haber una mejor manera!»

Afortunadamente, la hay.

Se llama un chorro — un ingreso residual conti-nuo — un ingreso que sigue entrando no importa si uno le invierte el tiempo o no. La única manera para construir una genuina seguridad es hacer lo que Pablo hizo — ¡construir una tubería mientras se sigue en el empleo de transportar el agua en baldes!

Los conductos son chorros de vida porque ellos le permiten a las personas escapar de la trampa del tiempo por dinero. Cuando uno construye una tubería, uno hace el trabajo una vez, pero la remuneración se percibe una y otra vez, galón tras galón.

Los conductos están abiertos 24 horas al día, 7 días a la semana y 365 días al año. Esto quiere decir que los conductos generan una remuneración mientras uno duerme. O mientras juega. O mientras goza de la jubilación. O mientras se está enfermo, incapacitado o discapacitado para trabajar. O inclusive durante una emergencia.

Ese es el poderío del ingreso residual.

¡Por eso es por lo que digo que los chorros son fuente de vida!

Las tuberías = Fuentes de vida

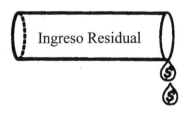

Estamos viviendo en un mundo de 'cargadores de agua en baldes'

«Nosotros tenemos un gran empleo, Pablo. Yo puedo transportar más de 100 baldes al día. ¡A un centavo cada balde, eso es más de un dólar por día! ¡Ya soy rico! Al final de la semana, yo ya podría comprarme un nuevo par de zapatos. Para el final del mes, una vaca. Para dentro de seis meses, ya podré comprarme una nueva cabaña. Nosotros tenemos el mejor empleo en la ciudad. Tenemos los fines de semana libres y nos pagan dos semanas al año de vacaciones remuneradas. Estamos hechos para el resto de nuestras vidas Sal de aquí con tu idea de tuberías».

—Tomado de *La parábola de los conductos*

Un doctor estaba llevando a su hija a la guardería y había olvidado su estetoscopio en el automóvil. La hija se inclinó, lo recogió y empezó a jugar con el estetoscopio.

«Mi hija quiere seguir mis pasos», pensó el doctor para sus adentros. «Este es el momento de mayor orgullo de mi vida».

La niña organizó el estetoscopio alrededor del cuello y puso el censor frente a su boca como si fuese un micrófono.

«Bienvenido a Mc Donadl's. ¿Me puede dar su pedido?»

Esta graciosa historia ilustra el por qué nosotros gravitamos hacia esos empleos de los que llamamos 'de transporte de agua en balde' — la razón es que se aprende imitando. La niña ha ido tantas veces a Mc Donald's que confundió el estetoscopio por un micrófono y audífono de cabeza e imitó la forma como los empleados hablan con los clientes.

Al igual que esta pequeña, la mayoría de las personas confunden un empleo donde se transporta el agua en baldes con un negocio de construir tuberías.

Podemos observar que el 99 % de las personas transportan el agua en baldes. Por lo tanto, naturalmente, asumimos que transportar agua en baldes es la única manera de obtener lo que uno quiere en la vida.

**Transportar
Agua En Baldes**   vs   **Construir Conductos**

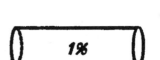

**Vivir de quincena
en quincena**

**Un ingreso residual
continuo**

Este es el motivo por el cual Bruno tenía tantos

problemas para comprender el poderío de los conductos — ¡Pablo fue el primer constructor de tuberías que Bruno jamás hubiese conocido! Bruno rechazó las tuberías porque eran diferentes a lo normal. Para Bruno las tuberías no era algo comprobado. Para Bruno, las tuberías eran una empresa radical y riesgosa.

La gran mayoría de las personas piensa como Bruno. Nosotros crecemos en un ambiente donde estamos rodeados por 'transportadores de agua en baldes', así que concluimos que es la única manera cómo se puede vivir en el mundo. Me hace recordar esa calcomanía en los parachoques con la siguiente leyenda: ¡100.000 ratones de Noruega no pueden estar equivocados!

¡Las personas opinan lo mismo acerca de transportar el agua en baldes — 100 millones de transportadores de agua en baldes no pueden estar errados! Pues bien, sí que lo pueden estar.

La mentalidad de los ratones de Noruega

La idea de transportar agua en Baldes

Seamos realistas — hay más personas que transportan agua en baldes en este mundo que las que construyen tuberías.

¿Por qué?

Porque transportar agua en baldes es el modelo que nuestros padres siguieron y que ellos nos enseñaron a nosotros a imitar. Éste modelo nos dice que este es un mundo de 'transportadores de agua en balde', y, adicionalmente, esto es lo que hay que hacer para que uno progrese:

Ir a la escuela y aprender cómo transportar agua en baldes.

Trabajar arduamente. Ganarse el derecho a transportar agua en baldes. Renunciar de una compañía transportadora de agua en baldes llamada compañía A para trabajar luego en la compañía transportadora de aguas en baldes B, lo que nos permite transportar baldes de mayor volumen. Trabajar más horas para que uno pueda transportar más baldes. Mandar a los hijos a una universidad donde le enseñen a transportar agua en baldes. Cambiar de carreras de una industria de transportar agua en baldes metálicos … a transportar agua en baldes plásticos … y luego transportar agua en baldes digitales. Soñar con un día en el cual uno pueda retirarse de la labor de transportar agua en baldes. Hasta esa fecha, nosotros transportaríamos esos baldes. Transportaríamos y transportaríamos esos baldes …

¿Cuánto es lo que ganan todos esos transportadores de agua en baldes?

Sorprendentemente muy poquito.

De acuerdo con la revista *Parade* en su reporte anual «Cuanto ganan las personas», la encuesta dice que el trabajador promedio en los Estados Unidos devenga $28.500 dólares por año. Réstele a eso el

20% de impuestos, y eso deja $22.500 dólares para vivir.

Seamos realistas — $22.500 dólares para llevar a casa no es suficiente dinero para cubrir las necesidades básicas de una familia de 4 miembros. ¡Lo cual quiere decir que la mayoría de las personas están desesperadas por tener un ingreso adicional!

El salario promedio de los transportadores de agua en baldes:

Un baldesito es igual a $28.500 dólares.

La procesión de los baldes

¿Qué es lo que hacen los transportadores de agua en baldes cuando quieren más ingresos? Por lo que ellos tienen una mentalidad de transportar agua en baldes, siempre buscan una solución orientada hacia los baldes — ¡Si necesita más dinero, transporte más baldes!

«Yo voy a conseguirme un segundo empleo donde pueda transportar más baldes durante las tardes y los fines de semana», diría el abuelo de los transportadores de agua en baldes.

«Puedo empezar a transportar baldes en ese trabajo de transportar agua en baldes que tenía antes de que hubieran nacido mis hijos», diría la señora mamá transportadora de agua en balde.

«Los chicos también pueden conseguir un empleo de transportar baldes chiquitos después del colegio y durante el verano», podrían comentar los padres de esta familia transportadora de baldes.

Y eso es lo que exactamente hacen. ¿Y cual es el resultado de todo esto? Hoy en día, en Norteamérica los estadounidenses trabajan más horas que en cualquier otra nación industrializada en el mundo, inclusive más horas que los muy obsesionados japoneses. ¿Cuénteme, funciona este plan de transportar más agua en baldes para devengar más?

En una palabra, ¡ No!

Aquí está la cruda realidad:

• La deuda está en un nivel récord. En cada hogar promedio de los Estados Unidos se ha más que cuadruplicado en los últimos 17 años. Cada hogar hoy día tiene 95 centavos de deuda por cada dólar de dinero disponible para el gasto.

• La proporción de mujeres que tuvieron que emplearse para mantener el estilo de vida de las familias aumentó más del doble en los últimos 20 años. Pasó del 19% en 1980 al 46% hoy.

• Más y más personas están obteniendo una segunda o una tercera hipoteca sobre el único patrimonio grande que les queda — sus hogares — sólo para pagar las deudas.

Las declaraciones de bancarota personal se han incrementado año tras año hasta llegar a 1,4 millones de personas en el año 2.000 — ¡inclusive ahora que la economía está creciendo!

¡Aló! ¿Qué es lo que está mal con todo este panorama?

La falacia de transportar baldes más grandes

Los transportadores de agua en baldes asumen que mientras más grande sea el balde mayor será su remuneración. Por lo tanto dichos transportadores se dicen a sí mismos que la solución está en obtener otro empleo donde le fuera posible transportar baldes más grandes.

Los transportadores de baldes cada rato se preguntan cuánto están devengando otros transportadores de baldes. La oficina laboral de estadística de los Estados Unidos le sigue la pista a la remuneración por horas de cientos de distintas ocupaciones. ¿Cómo se compara su remuneración por horas con la de otros empleos?

Remuneración por hora (Tomada de la oficina laboral de estadística de los Estados Unidos)

Ocupación	Remuneración por hora
Un cocinero en un restaurante de comida rápida	$ 6.29
Un dependiente de una estación de servicios	$ 7.34
Un barrendero	$ 8.44
Un dependiente de un almacén de ventas al detal	$ 9.12
Una secretaria	$ 11.86
Un impermeabilizador de techo	$ 13.63
Un mecánico automotriz	$ 13.97
Un conductor de camiones	$ 14.08
Un bombero	$ 15.63
Un funcionario de correos	$ 16.39
Un analista de créditos	$ 20.05
Un programador de computación	$ 25.67
Un ingeniero químico	$ 29.44
Un físico puro	$ 33.23
Un abogado	$ 36.49
Un odontólogo	$ 44.40
Un médico general cirujano	$ 49.05

De acá se deduce que la mayoría de las personas obtiene una remuneración por 40 horas a la semana (a pesar de que probablemente trabaja al menos cincuenta a la semana … o inclusive más) y obtiene dos semanas de vacaciones remuneradas al año. Aquí está lo que ganarían cinco de las ocupaciones antes citadas:

Ingresos anuales

Cocinero	$13.083
Dependiente de ventas al detal	$18.970
Funcionario de correo	$34.091
Abogado	$75.899
Médico general	$102.024

Ahora si usted fuese un cocinero ... o un dependiente de ventas al detal .... o un funcionario de correos, usted probablemente miraría los ingresos de un abogado o de un médico general y pensaría, «¡uy, si yo estuviese ganando todo ese dinero anualmente, sería financieramente libre!»

¡Ya no tendría que trasnochar pensando cómo es que voy a hacer mañana para pagar todas mis cuentas!»

Los ingresos de los transportadores de agua en baldes

28 K,   **76K,**   **102K**

Persona promedio,   el ingreso de un abogado,   el ingreso de un médico

Ciertamente, el balde de un médico general es mucho más grande que el balde de un cocinero — alrededor de 10 veces más grande, pero esto no significa que el médico sea financieramente independiente. Él es igual de dependiente del trabajo de transportar agua en balde como lo es el cocinero o el funcionario de correos.

¿Por qué? Simple. Los profesionales devengan más que un trabajador promedio. ¡Pero a la vez, ellos gastan más! La verdad es que los doctores y los abogados que ganan más de seis cifras por año están gastando la gran parte de sus ingresos en mantener su estilo de vida.

Sólo compare los gastos de un trabajador promedio con los de un profesional: el trabajador profesional conduce un carro usado que cuesta $5.000 dólares.

El doctor o el abogado conduce un Lexus que cuesta $45.000.

El trabajador promedio envía a sus hijos a una escuela pública. El doctor o el abogado paga por escuelas privadas.

El trabajador promedio es propietario de un hogar de $75.000 dólares, el abogado o el doctor es dueño de un hogar de $350.000 dólares. El trabajador promedio come en el restaurante Pizza Hut una vez a la semana, el doctor y el abogado salen a cenar dos veces por semana a un restaurante muy fino.

El trabajador promedio no puede darse el lujo de tomarse unas vacaciones, los profesionales llevan a su familia a esquiar una vez al año.

El trabajador promedio juega golf en una cancha pública. El doctor o el abogado es socio de un costoso club campestre … o a veces hasta de dos.

Ya empieza a vislumbrar el panorama.

Las personas envidian a los médicos, a los abogados y a los contadores porque ellos tienen la oportunidad de transportar baldes más grandes.

Ciertamente, los baldes de los médicos pueden ser diez veces más grandes que los de los cocineros. Pero los médicos gastan diez veces más, por lo tanto ambos terminan bajo el mismo predicamento — ¡vivir de quincena a quincena!

Los ingresos del médico - Los egresos del médico

Los baldes eventualmente se secan

Thomas J. Stanley y William D. Danko, autores del libro que se convirtió en éxito de ventas *"El millonario de al lado"*, hicieron una observación acerca de los 'transportadores de agua en baldes grandes' diciendo que hacer esto no es sinónimo de crear riqueza. Los autores llegaron a esa conclusión al encuestar a las personas que vivían en vecindarios exclusivos, asumiendo que las personas que conducían automóviles costosos y vivían en casas lujosas eran ricas.

¡UPS! — ¡Presunciones erradas! Stanley y Danko llegaron a la siguiente conclusión acerca de la creación de riqueza:

«La mayoría de las personas tiene un concepto equivocado acerca de la riqueza en los Estados Unidos. La riqueza no es lo mismo que los ingresos. Si usted tiene un buen ingreso año tras año y lo gasta todo, no está volviéndose más rico. Usted está gozando de un alto nivel de vida. La riqueza es lo que uno logra acumular, no lo que uno gasta.

«¿Cómo es que uno se vuelve rico? Aquí en este punto también la mayoría está errada. Rara vez es la suerte o las herencias o los títulos profesionales de postgrado o la inteligencia, lo que permite que las personas logren amasar fortunas. Mas bien, la riqueza es más el producto de un estilo de vida en el cual hay arduo trabajo, perseverancia, planeación, y sobre todo, autodisciplina».

En otras palabras, el tamaño de los baldes no importa. Irrelevante de que tan grandes sean, eventualmente, se secan. Las tuberías, por otra parte, se automantienen. Pero requieren de sacrificios. Las tuberías no se construyen solas. Hay que dedicarles tiempo y esfuerzo para poderlas construir.

Eventualmente todas los baldes se secan

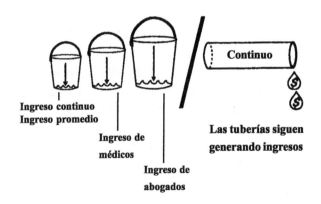

Ingreso continuo
Ingreso promedio

Ingreso de
médicos

Ingreso de
abogados

Continuo

Las tuberías siguen
generando ingresos

Un balde más grande no va a resolver el problema

A todo el mundo le encantaría incrementar el tamaño de su balde. Nadie va a rechazar una oferta de aumento salarial o de tener un mejor trabajo con mejor remuneración. Si un trabajo de transportar agua en baldes es su única fuente de ingreso, entonces yo aconsejaría que transporte los baldes más grandes que existan. Eso sencillamente es de sentido común.

Pero el hecho es que el transportar agua en baldes nunca va a convertirlo en alguien financieramente libre. Transportar baldes nunca va a hacer que su familia esté segura y a salvo — ¡No importa que tan grandes sean los baldes!

¿Por qué?

Porque mientras esté transportando agua en baldes usted siempre va a tener que asistir al trabajo para obtener su remuneración. El día que deje de transportar baldes, ese día usted deja de tener ingresos.

- ♦ **Enfermedades o Accidentes**
- ♦ **despidos**
- ♦ **Jubilación**

Muchos transportadores de baldes han pasado de ser el «millonario de al lado» a «el quebrado de al lado» porque olvidaron construir un chorro continuo de ingresos mientras estaban transportado el agua en baldes. Cuando se seca el balde, también se seca el estilo de vida.

«Las tuberías son fuentes de vida», mi padre solía decir.

¿Ha empezado a ver por qué?

PARTE 2

Las tuberías son fuentes de vida

El poderío de una tubería

Pero Pablo no se desilusionó tan fácilmente. El pacientemente le explicó el plan de la tubería a su mejor amigo. Consistía en que Pablo trabajaría parte del día llevando baldes y el resto del tiempo libre y los fines de semana los dedicaría a construir una tubería para tener un chorrito. Sabía que sería un trabajo arduo cavar la canaleta por donde pasaría la tubería por lo que el suelo era rocoso. Además sabía que como le pagaban por cada baldado de agua, sus ingresos se menguarían al principio. Él también era consciente de que le tomaría un año o posiblemente dos, terminar el proyecto de la tubería y que este proyecto empezaría a generar dividendos sólo después de ese lapso. Pero Pablo creía en su sueño, y empezó a trabajar.

—Tomado de La parábola del conducto

Este es un cuento sobre dos polos opuestos —un jugador de béisbol de renombre y una profesora de secundaria en una población pequeña.

Ambos no podrían ser más disímiles — uno era joven y la otra era una mujer mayor. A uno le pagaban millones de dólares al año y ella nunca ganó más de $10.000 dólares por año. Uno vivía un estilo de vida que todos admiraban. Y la otra vivía su vida en una pequeña población de Massachusetts.

Pero esto eran solamente diferencias menores al compararlas con las decisiones personales y financieras que cada persona tomó. Verán, una de las personas de las cuales ustedes van a leer próximamente, construyó una tubería y se retiró como multimillonaria. La otra permaneció viviendo como una transportadora de agua en baldes y, a medida que escribo esto, está tambaleándose y luchando por sobrevivir. Está al borde de la banca rota.

Las historias son acerca de dos personas muy diferentes, pero eso no es lo que es importante. Lo que es importante tiene que ver con las decisiones que cada persona tomó y las lecciones que uno puede aprender de dicha selección. Después de escuchar estos dos relatos, debería quedar claro por qué construir un chorro es la única manera de crear la seguridad real y la verdadera libertad financiera.

Sus decisiones

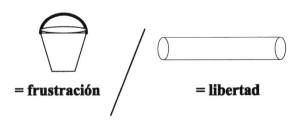

= frustración / = libertad

La balada del jugador de pelota

Empecemos con el relato de un jugador de béisbol famoso. Al pasar los años, este talentoso atleta ha tomado una serie de decisiones malas, tanto en el ámbito personal como en el financiero.

Sus decisiones personales generaron como resultado una separación matrimonial, el abuso del alcohol, y la drogadicción. Eso es lo suficientemente malo de por sí, pero sus decisiones financieras han sido iguales de malas, motivo por el cual también ahora está en la quiebra. Estoy seguro que ustedes han escuchado acerca de este atleta. Él ha estado en la mira de todos durante los últimos veinte años.

Su nombre es Darryl Strawberry. La historia de la vida de él es un relato de advertencia acerca de lo que no se debe hacer para obtener la libertad financiera.

Darryl Strawberry ha estado jugando béisbol profesionalmente durante la mitad de su vida. Este jugador de 38 años empezó en las grandes ligas cuando no había cumplido aún los 20 años e inmediatamente fue bautizado como «el próximo Ted Williams».

Strawberry ha devengado una fortuna durante su carrera — una cifra entre los 2 millones y los 5 millones de dólares anuales. Y esos son solamente los ingresos del béisbol. Otro par de millones anuales los recibe por endosos, presentaciones en público, discursos, y por dar autógrafos. En suma, todas las fuentes de ingreso han hecho que él gane entre cincuenta y cien millones de dólares antes de haber cumplido sus cuarenta años de edad.

Las Fresas no Duran para Siempre

¿Una persona que devenga ese tipo de ingresos tiene que estar 'hecha' de por vida ¿No es cierto?

No lo es.

De acuerdo con un reporte del periódico local, «Strawberry no tiene ingresos o ahorros para proveer por su esposa actual, Charisse, y sus tres hijos …» $100 millones de dólares y nada que mostrar a cambio.

¿Qué fue lo que pasó?

Se lo gastó todo.

Hubo gastos en viviendas costosas. En automóviles costosos. En abogados costosos para defenderlo cada vez que violaba la ley. En divorcios costosos. Hubo gastos en el costoso hábito del consumo de droga y en la clínica de rehabilitación de alcohol.

A medida que escribo esto Strawberry ya ha sido suspendido de los juegos de béisbol. Lo cual quiere decir que él no tiene nada de ingresos. Lo único que sigue ingresando son las cuentas por pagar. Y éstas entran día tras día, mes tras mes, como si fuese una lluvia continua parecida a la tormenta Monzón de la India.

Gran ingreso   Gran egreso

Cómo convertirse en El millonario de al lado

El segundo relato tiene un final muy diferente. Es una historia acerca de una profesora en un pueblo pequeño llamada Margaret O' Donnell, la cual demuestra que uno no tiene que transportar baldes grandes para poder construir gigantescos conductos.

La señorita O'Donnell fue maestra y enseñó en una escuela durante más de 50 años. Cuando ella se retiró a los setenta años de edad, ella estaba ganado alrededor de $8.500 dólares por año. Cuando ella murió a la edad de cien años, ella tenía alrededor de dos millones de dólares los cuales donó a una serie de fundaciones de caridad, incluida su iglesia, la escuela donde ella asistió, y un grupo de «Boy Scouts» (Niños exploradores).

¿Cómo es que una mujer con ingresos inferiores a $10.000 dólares por año puede acumular tal fortuna?

Simple. Ella construyó un conducto de inversión a largo plazo al hacer pequeñas inversiones mensuales consistentemente en unas acciones de alta calidad. Permitió que éstas crecieran con un interés compuesto a lo largo del tiempo y así construyo su chorro.

Construir conductos a largo plazo

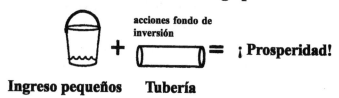

acciones fondo de inversión

Ingreso pequeños   **Tubería**   **¡ Prosperidad!**

«Margeret disfrutó sus acciones», dijo su corredor de bolsa Bob Wolanske. La primera vez que yo la conocí, ella lanzó tres papeles a mi escritorio y dijo, «¿Qué puedo hacer con estos perros?», refiriéndose a las acciones que no estaban teniendo un buen rendimiento».

A lo largo de los siguientes 20 años, el portafolio de Margaret creció hasta incluir una colección de acciones «bluechip»: bonos exentos de impuestos, y acciones de compañías de servicios públicos que retuvo hasta el momento de su muerte. Ella rara vez tocaba alguna de sus inversiones, lo que le permitió retirarse con chorros que crecían año tras año.

Pequeños sacrificios, grandes resultados

Ahora, en caso de que piense que Margaret era un personaje mezquino, que vivía ahorrando centavos sentada recortando los cupones de ahorro y utilizando las bolsas de té dos y tres veces, usted no está en lo cierto. Ella salía a comer con frecuencia con sus amigos. Conducía un Buick de modelo reciente y frecuentemente volaba a Europa para disfrutar de unas largas vacaciones.

Ella nunca se negaba así misma los placeres que brinda la vida. Pero también siempre demostró disciplina y austeridad en su gasto. Y ahorró e invirtió cada mes, inclusive durante su jubilación.

Verán, Margaret era un ejemplo clásico de una constructora de tuberías a largo plazo. Ella empezó a ahorrar y a invertir cuando tenía la edad de veinte años. Continuó así hasta justo antes de cumplir los cien años (como aprenderán en los capítulos siguientes, las tuberías y los chorros crecen más y más a medida que pasa el tiempo).

Los conductos propios en crecimiento

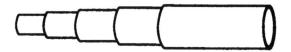

1 año, 5 años, 10 años, 25 años, 50 años

Al igual que Pablo, los constructores de conductos tal vez no tengan mucho que mostrar por los esfuerzos invertidos durante los primeros días, inclusive años. Pero, los esfuerzos consistentes y disciplinados a lo largo del tiempo pueden transformar una pequeña contribución en grandes dividendos.

Las tuberías siguen bombeando durante mucho tiempo después de que se hayan secado los baldes.

¿Ahora entiende qué es lo que quiero decir cuando hablo acerca del poderío de los conductos?

Darry Strawberry ha transportado baldes durante años. Y, ¿qué puede demostrar a cambio de eso hoy día? ¡Nada, excepto cajas grandes de cheques pagados! Strawberry ha tenido más de 20 años para construir chorros. Si él hubiese apartado sólo el 10 porciento de sus ingresos y los hubiese puesto a trabajar en construir un conducto de inversión en el mercado de valores, el probablemente tendría una fuente de vida que valdría hoy en día entre veinte y cien millones de dólares.

Pero no hizo eso.

Oportunidades desaprovechadas

Si no hay conducto no hay ingreso residual

Strawberry asumió que su gran balde nunca se secaría. Se equivocó al asumirlo. Los baldes no se llenan a sí mismos automáticamente, no importa que tan grandes sean. Eso es así porque los transportadores de baldes tienen que transportarlos y rellenarlos. Cuando ellos dejan de transportar — bien sea por la jubilación… o por enfermedad … o por accidente … o por agotamiento — el balde empieza a secarse.

Los conductos, por otra parte, siguen bombeando utilidades mucho después de que se hayan secado los baldes. La regla sigue siendo cierta para los que transportan baldes grandes o para los que transportan los pequeños. Como dije anteriormente no importa realmente el tamaño del balde. Las personas con baldes grandes tienden a tener gastos grandes. La clave para la libertad financiera es adoptar una mentalidad constructora de conductos — y ¡poner ese plan de construcción de tuberías en acción!

Un modelo de baldes grandes

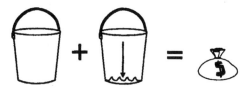

balde grande   gastos grandes   activos pequeños

Mientras más pequeño sea el balde, mayor es la necesidad de una tubería

Ganar bastante dinero no garantiza necesariamente la independencia económica. Solamente las tuberías pueden hacer eso. ¡Si usted no adopta una estrategia de conductos, su balde eventualmente se secará! Yo relato la historia de Strawberry para exagerar el punto — principalmente, que si el balde es grande, como era el de él, también se puede secar. ¿Si eso le pasa al balde de Darryl qué le podría pasar al suyo?

Reflexione al respecto. Strawberry vivía de quincena en quincena.

¿Qué me dice acerca de usted?

Strawberry actuó como si su carrera de transportar baldes grandes nunca terminaría.

¿Qué me dice de usted? Strawberry tontamente gastó su dinero y malbarató su tiempo cuando en lugar de esto pudo haber estado utilizando ambos,

sabiamente, para construir una fuente de vida.
 ¿Que me dice acerca de usted?

¿Qué me dice acerca de usted?

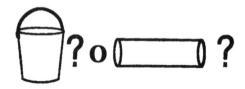

 Ciertamente, Strawberry cometió una serie de erro-
res en sus decisiones que le costaron mucho dinero.
Pero su determinación financiera más mala fue el
no construir conductos.
 ¡Eso es imperdonable! ¿En qué estaba pensando?
 Margaret O'Donnell, por otra parte, tenía la sabiduría para construir conductos mientras todavía estaba transportando baldes. Cuando los días de transportar baldes llegaron a su fin, los chorros que ella
tenía siguieron bombeando y el efectivo siguió ingresando.

Ha llegado la hora para que usted escoja

 Ahora yo pregunto, ¿en cuál situación financiera
preferiría estar usted? — ¿la de Darryl Strawberry?
O ¿la de Margaret O' Donnell? ¡Si su respuesta es
la de Margaret O'Donnell, entonces necesita empezar a construir tuberías desde ya!
 Éstas son fuentes de vida porque ellas se mantienen a sí mismas. Ellas necesitan una contribución

primaria de vez en cuando. Y reparaciones. Inclusive a veces reconstrucciones. «Pero las tuberías siguen bombeando utilidades año tras año.

LA OPCION

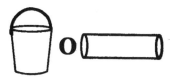

«Son sus decisiones, no la buena fortuna lo que determina el destino propio».

Tanto Darryl Strawberry como Margeret O'Donnell tuvieron opciones. Darryl Strawberry escogió los baldes. Margaret O'Donnell escogió los conductos.

Cada cual tomó una decisión.

Ahora le toca decidir a usted.

Apalancarse: El poderío que respalda a los conductos

> Una vez que la tubería se había terminado, Pablo ya no tenía que transportar más baldes. El agua fluía bien sea que él trabajase o no. Fluía mientras él comía. Fluía mientras él dormía. También funcionaba los fines de semana mientras él jugaba. ¡Y mientras más agua llegaba constante al aljibe de la aldea, más dinero le llegaba al bolsillo de Pablo!
>
> —Tomado de *La parábola del conducto*

A palancarse es un concepto poderoso — Un concepto que altera la civilización.

De hecho, si no fueses por las palancas usted no estaría leyendo este libro actualmente. ¡Permítame explicarle!

En 1440, un joven empresario alemán llamado Johannes Gutemberg convirtió una prensa de vinos en la primera prensa comercial del mundo. Él imprimió 180 copias de *La Biblia de Gutemberg* y las vendió todas en tan solo unos días.

La imprenta de Gutemberg fue un éxito inmediato. En tan sólo décadas, había imprentas en todas partes de Europa. ¡Para finales del siglo 1600 había ocho millones de libros impresos circulando en Europa, lo cual era una cifra diez veces mayor al número de libros que se habrían producido en los diez mil años anteriores juntos!

Libros de autores que transportan baldes versus publicaciones por constructores de conductos

La imprenta de Gutemberg desmoronó los paradigmas de los libros escritos por transportadores de agua en baldes. Antes de Gutemberg los libros se copiaban a mano por escribas y monjes. Los libros escritos a mano tomaban con frecuencia años para ser producidos y eran tan costosos que solamente la realeza podía comprarlos.

Gutemberg cambió todo eso. Con la imprenta, el editor podía armar una hoja letra por letra una vez... y luego fácilmente podía producir miles de copias exactas. La imprenta apalancaba el tiempo y el dinero del editor y de esta manera dramáticamente incrementó su productividad.

En el modelo de los libros elaborados por 'los transportadores de agua en baldes', hay una proporción uno a uno entre

El modelo de escribir

los esfuerzos y los resultados. Una hora de esfuerzo produce una hora de resultado. Le tomaba a un escriba un día para copiar una página, por lo tanto le tomaría 100 días lograr sacar 100 páginas.

Consideremos la imprenta — el modelo 'de construir conductos'. Digamos que en el siglo XVI le tomaba a un editor un día armar una página, de tal suerte que al final del día, el solamente habría producido una copia borrador para verificar con el editor.

Modelo de la Imprenta
1 hora = 100 Páginas

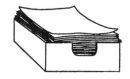

Pero mire que pasa en el segundo día:

El editor entra a trabajar y encuentra ya 100 copias impresas. En otras palabras, el editor podía producir en dos días de trabajo lo que le tomaba a un escriba 100 días para producir.   ¡Ese es el poderío de apalancarse! En el modelo de la construcción de tuberías la proporción entre el esfuerzo y el resultado deja de ser uno a uno. Cuando se usa el apalancamiento, el esfuerzo sigue siendo el mismo, pero el resultado puede ser 100 veces mayor… mil veces mayor … o inclusive millones de veces mayor.

Dos manera de apalancarse: por tiempo y por dinero

El origen de la palabra apalancamiento es '*Palanca*'

que viene del latín phalanga, la cual es una barra inflexible para transmitir fuerza y así aliviar el trabajo, lo que es una descripción muy acertada del poderío del apalancamiento.

Al utilizar una palanca, una carga pesada puede convertirse en liviana, a tal punto que hasta un niño la puede mover.

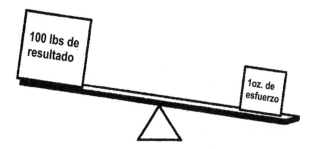

Cuando nosotros aplicamos este principio de apalancar nuestro tiempo y dinero, ocurre lo mismo — los resultados crecen por una factor compuesto. Por ejemplo en el caso de apalancamiento de tiempo, el esfuerzo de una hora puede tener resultados en cien horas de producción. El trabajo de una semana puede convertirse en un año de producción.

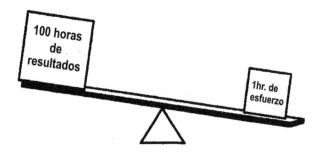

En el caso de apalancar dinero, cada dólar invertido a lo largo del tiempo puede crecer por un factor
compuesto hasta convertirse en cien veces la inversión inicial.

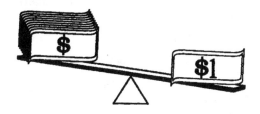

Un resultado de $100 con una inversión de $1

Ejemplo clásico de apalancarse

La imprenta es un ejemplo clásico de cómo las personas pueden apalancar el tiempo, el dinero y los
esfuerzos. Las palancas desmoronan la ecuación de
una unidad de tiempo por una unidad de dinero. Las
palancas permiten que las personas trabajen más
inteligentemente no más arduamente, y ese es el
poderío que poseen los conductos.

El apalancamiento del tiempo: Contratar empleados es un ejemplo clásico de cómo las personas pueden apalancar su tiempo. Digamos que quiere abrir
un restaurante. Sería imposible para usted actuar
como el anfitrión... el mesero... el cocinero ... el
que lava los paltos ... y el contador y aún así tener
un negocio rentable. Usted solamente puede estar
en un sitio o a la vez, así que debe contratar personal para que desempeñe ciertas tareas.

Si le paga a un equipo de 10 personas un salario promedio de 10 dólares por hora, usted está pagando una nómina de cien dólares la hora. Si su restaurante factura alrededor de mil dólares por hora en ingresos, la diferencia después de gastos termina en su bolsillo.

Apalancar el tiempo en un pequeño negocio

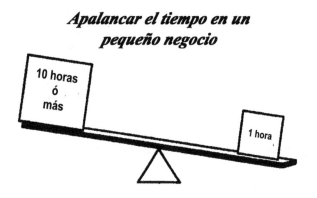

Apalancamiento de dinero: Un ejemplo clásico de un apalancamiento de dinero es invertir en la bolsa de valores. No hay duda que usted ha escuchado de Warren Buffett. Él es una leyenda viviente en Wall Street y es el segundo o el tercer hombre más rico del mundo. Él construyó su fortuna a la manera antigua —se apalancó con el dinero de los demás e hizo para sí mismo y para sus inversionistas una gran fortuna en el proceso.

¿Qué tan rico? Analice lo siguiente. Si usted hubiera invertido diez mil dólares en el fondo de inversión de Buffett's Berkshire Hathaway en 1965 y lo hubiera dejado ahí para que creciera año tras año, para 1988 su inversión equivaldría a — siéntense para escuchar esto — ¡51 millones de dólares! ¡Qué tal! ¿Le gustaría ser dueño de un conducto así?

Hace 35 años una inversión de Berkshire costaba 19 dólares. Para finales de 1988 esa sola acción valdría $70.000 dólares. Lo cual quiere decir que usted pudo apalancar una inversión de $300 dólares en 1965 y convertirlos en un millón de dólares hoy. ¡Increíble!

Apalancar dólares en Berkshire Hathaway

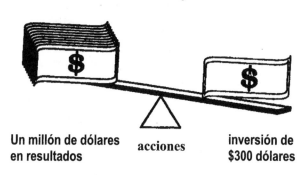

Un millón de dólares en resultados   acciones   inversión de $300 dólares

Vale la pena construir conductos

¿Ahora si entienden el poderío de apalancarse? La acción Berkshire Hathaway es una prueba viviente de que el apalancamiento tiene resultados desproporcionados al compararlos con los esfuerzos.

Reflexionemos al respecto —¿qué tanto esfuerzo representaría acumular 300 dólares en 1965? Dos o tres días de trabajo … tal vez el trabajo de una semana como mucho ... sólo imagine, una vez invertidos los 300 dólares, no habría que hacer nada más, porque todo el trabajo estaría ya realizado en términos de construir el conducto. Lo único que habría que hacer es chequear el precio de las acciones en el periódico de vez en cuando. Pregúntese a sí mismo — ¿no sería grandioso si uno pudiese convertir 300 dólares en un millón sin tener que levantar un dedo? ¿Pueden ver cómo es que los sabios utilizan el apalancamiento para multiplicar pequeñas cantidades de dinero o de tiempo por un factor de mil y más ¿No hace sentido encontrar un mecanismo con el cual uno pueda apalancar un dólar y convertirlo en cien? ...O ¿apalancar una hora y multiplicarla hasta convertirla en cien horas? ¡No sería grandioso hacer el trabajo una vez y dejar que la palanca hiciera el resto! Amigos si a ustedes les gusta disfrutar los beneficios del apalancamiento, entonces necesitan hacer lo que hacen los constructores de conductos como Pablo y como Warren Buffet— deben encontrar un mecanismo para apalancar su tiempo y su dinero hoy.... Y ¡disfrutar de la gran recompensa mañana!

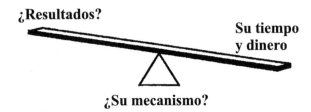

¿Resultados?

Su tiempo y dinero

¿Su mecanismo?

Apalancamiento de Dinero:
La tubería de «Palm Beach»

«Sólo piensa» continuó diciendo Pablo, «podríamos ganarnos un pequeño porcentaje por cada galón de agua que fluyera a través de cada uno de esos conductos. Mientras más agua corra a través de dichas tuberías, más dinero va a fluir rumbo a nuestros bolsillos. ¡La tubería que construí no es el final del sueño! ¡Es tan sólo el comienzo!

—De *La parábola del conducto*

Según la leyenda, un antiguo emperador de China se enamoró del juego de «Ajedrez». El emperador decidió recompensar al creador del juego. Lo citó al palacio Real y le anunció a la corte que al inventor se concedería un deseo.

«Me siento honrado, su alteza» murmuró el inventor humildemente. «Mi deseo es que usted me regale un grano de arroz». "¿Sólo un grano de arroz?» preguntó el emperador un poco perplejo.

«Pues bien, un grano de arroz por el primer cuadro del tablero», replicó el inventor.   «Luego doblando el número de granos por el segundo cuadro del tablero ... cuatro granos de arroz por el tercer cuadro del tablero y así sucesivamente hasta que ese primer grano de arroz se haya multiplicado por el número de cuadros que hay en el tablero. Ese es mi simple deseo, así de sencillo».

El emperador estaba complacido. «Me han otorgado un juego tan maravilloso a un precio tan económico», pensó él para sí mismo. «Mis ancestros me han sonreído hoy».

«¡Hecho!» dijo el emperador. «Traiga el tablero y deje que todos sean testigos de nuestro acuerdo».

La corte se reunió alrededor del tablero de ajedrez. Un sirviente de la cocina trajo una bolsa con una libra de arroz y se la entregó al inventor, quien sonrió cuando la abrió.

«Yo sugiero que usted vuelva a la cocina a buscar una bolsa más grande» le dijo el inventor al sirviente. La corte se rió a carcajadas, mal interpretando su comentario como algo sarcástico. Luego el inventor empezó a colocar los granos de arroz en el tablero, duplicando el número de granos a medida que progresaba:

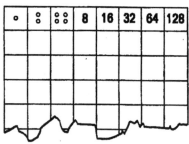

Los espectadores se rieron y hacían distintos gestos a medida que cada cuadro de la primera fila se llenó … uno … dos… cuatro… ocho… 16… 32…. 64… 128 granos de arroz.

Pero las risas rápidamente se apagaron cuando llegaron a la mitad de la segunda fila, porque pequeñas pilas de arroz rápidamente se duplicaron hasta convertirse en pequeñas bolsas de arroz las cuales se duplicaron para convertirse en bolsas medianas de arroz… las cuales se duplicaron nuevamente convirtiéndose en bolsas grandes de arroz.

○	○○	○○○○	8	16	32	64	128
256	512	1K	2K	4K	8K	16K	32K
....	....	....	....	....	....	....	....
....	....	....	....	....	....	....	....
....	....	....	....	....	....	....	....

Al final de la segunda fila, el emperador sabía que él había cometido un grave error. Los granos de arroz que se le debían al inventor totalizaban 32.768 — ¡y faltaban 48 recuadros más en el tablero! El emperador detuvo el conteo y llamó a los matemáticos más sabios de su reino. Ellos movieron sus ábacos e hicieron unas marcas en unos tableros. Después de mucho ruido y algarabía los matemáticos llegaron a una conclusión unánime: un grano de arroz duplicado por cada cuadro de los 64 que hay en un tablero de ajedrez llegaría a totalizar 18.000 billones de granos de arroz — ¡Una cantidad igual a todo el arroz del mundo multiplicado por diez!

El emperador detuvo la demostración y le hizo al inventor una oferta que no podía rehusar — a cambio de que este lo exonerara de cumplir su palabra. El inventor recibiría por ese trueque una finca con cientos de acres de campos fértiles de arroz. El inventor complacido aceptó. Todos brindaron a nombre del inventor y lo felicitaron por su sabiduría y su astucia. Y él, felizmente, se jubiló en su finca, disfrutando durante muchos años de un espléndido confort.

El concepto de la duplicación: La octava maravilla del mundo

La historia del emperador y el inventor del ajedrez nos enseña el poderío del concepto de la duplicación. Este concepto ha estado en el mundo desde que los bancos pagaron al primer mercader interés sobre los depósitos, así que ha sido comprobado y ensayado durante mucho tiempo.

El inventor y los matemáticos del emperador tal vez fueron las primeras personas en reconocer el poderío de la duplicación, pero ciertamente no fueron los últimos. Siglos después otro físico y matemático famosísimo, llamado Albert Einsntein, reconoció el magnífico poderío de la duplicación o «el factor compuesto», como con frecuencia se le denomina, y lo llamó «la octava maravilla del mundo».

El concepto de la duplicación se ha convertido en

una piedra angular en la creación de la riqueza a tal punto que yo lo llamo «la tubería de Palm Beach», en honor a la ciudad modelo en la Florida donde cientos de herederos de ricachones tienen casas de lujo sorprendentes con vista al Océano Atlántico. Los ricos de «Palm Beach» no tienen que trabajar para devengar dinero. ¡Ellos dejan que el dinero trabaje para ellos! ¿Cómo lo hacen? Ellos invierten grandes cantidades de dinero heredado en conductos que generan grandes utilidades año tras año, trabajen o no los inversionistas.

Los 'conductos de Palm Beach' reciben su combustible del concepto de la duplicación, lo cual quiere decir que los afortunados herederos pueden disfrutar de estilos de vida fabulosos … mientras ellos se vuelven cada vez más ricos en el proceso. Esto es lo que yo llamo tener la torta en el horno y podérsela comer a la vez.

La ley del 72: Una regla que utilizan los adinerados

Para entender mejor como es que las personas ricas se enriquecen más, analicemos un momento 'la regla del 72', un concepto que maravilla la mente el cual los corredores de la bolsa de inversiones le enseñan a sus clientes más adinerados. La 'regla del 72' es una fórmula sencilla para calcular cuántos años se necesitarían para que una inversión se duplique. Aquí está la regla.

El concepto de duplicación o la regla del 72

1) Determine la tasa anual de interés de su inversión.
2) Divida el interés por 72
3) El resultado es el número de años que va a tomar para que su inversión se duplique

---

Por ejemplo, digamos que unos herederos invierten cien mil dólares en una acción que paga un interés de retorno anual del diez por ciento. La regla del 72 en acción es la siguiente:

Regla del 72

Paso No. 1: $100.000 dólares de inversión original
Paso No. 2: 10% tasa de retorno anual
Paso No. 3: 72 divido por 10 = 7.2 años
Retornos: En dólares se convertirían en 200.000 en 7.2 años

Si los herederos no se gastaran ni los rendimientos ni el capital, la inversión original del cien mil dólares se duplicaría a doscientos mil en 7.2 años ... a $400.000 en 14.4 años y a $800.000 en 21.6 años y a $1.6 millones en 28.8 años y así sucesivamente. Cómo pueden ver, mientras más tiempo dejen el dinero ahí para que crezca por un factor compuesto, más grande será el tamaño del el conducto.

¡Al apalancarse en el poderío del factor compuesto, las personas que heredan fortunas de millones de dólares pueden vivir cómo la realeza y todavía dejar una fortuna aún mayor para sus hijos! La magia del factor compuesto es el motivo por el cual miles de herederos llamados Kennedy... Dupon,... Firestone... o Rockefeller... Ford...y Getty, pueden continuar viviendo una vida de lujos sin que se les agote la riqueza. De hecho, los baldes de ellos nunca se van a secar porque ellos tienen chorros que siguen bombeando año tras año durante décadas o en algunos casos, como en el caso de los Rothschild en Europa, durante más de 200 años.

Los niños y el dinero

Afortunadamente, los chorros que se construyen a fuerza de apalancar el dinero no están reservados para los adinerados. La gente común también puede aprovecharse del concepto de duplicación, como vimos con el relato de la vida de Margaret O'Donnell, una profesora de bachillerato que amasó varios millones de dólares al apalancar su dinero en las acciones de la bolsa de valores.

Entonces, ¿cómo es que la gente común puede apalancar su dinero para crear chorros a largo plazo? La mejor manera de responder esto es diciéndole que hay un libro poderoso llamado *Los chicos y el dinero* por Michael J. Searls. En realidad, el libro se pudo haber llamado *La gente y el dinero,* porque los principios plasmados por Searls aplican para la gente joven y para los viejos también.

Searls, un antiguo corredor de bolsa de Wall Street padre de cuatro hijos, recomienda un sistema simple para enseñarle a los chicos a que administren el dinero de manera responsable. Él sugiere que los padres le regalen tres alcancías a los hijos y que las nombren «gastar y regalar», a la segunda «ahorros», y la tercera la llamen «inversión». Cuando los padres le dan a sus niños su asignación semanal, ellos deben dividir el dinero en partes iguales entre las tres alcancías.

Los niños y el sistema de dinero

Gastar & regalar,   Ahorros   Inversión

La alcancía de «Gastar y regalar» es para los gastos inmediatos— goma de mascar, monas de béisbol, etc. Es el dinero que se utiliza para cositas y para caridad.

La alcancía de «Ahorros» es para invertir en gastos de mayor valor como por ejemplo un nuevo «compac disc» o un vídeo juego.

La alcancía de «inversión» difiere de las anteriores porque no es para gastar. Nunca va a serlo. Searls llama esta alcancía «… el componente más importante, porque si no tenemos algo para guardar para cuando llegue un día lluvioso, la amenaza de las deudas siempre va estar como una nube encima de nuestras cabezas».

Los adultos que hablan en serio acerca de construir conductos de inversión a largo plazo necesitan empezar a administrar su dinero de acuerdo con este sistema de tres alcancías. En vez de estar poniendo dinero en éstas ellos deben estar poniéndolo en el banco o en las cuentas de los corredores de bolsa.

Adultos y el sistema de dinero

Gasta y Regalar	**Ahorro**	**Inversión**
(Gastos mensuales)	**(Conductos)**	**(Gastos mayores)**
• Cuotas del automóvil		• las vacaciones de la
• Alimento y vivienda	•Acciones y Fondos	familia
• Diversión	•Fondos de pensión	• La Universidad de los
• Etc.	•Inversión en propiedad raíz	niños
	•Etc.	• Remodelar el hogar
		• etc.

¡Páguese a sí mismo primero!

La clave para apalancar el dinero del mismo modo como lo hacen los ricos es «pagarse a sí mismo primero» al hacer depósitos regulares en una cuenta de inversión — ¡Dejar que dicho dinero crezca con un factor compuesto! La mejor manera para financiar las tuberías de inversión es tomar un poco de dinero de su balde de ingresos mensuales y depositarlos en una tubería.

Construir una tubería a largo plazo

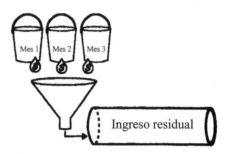

Cómo la gente se convierte en millonaria

Lástima que no podemos escoger padres adinerados — entonces no hubiésemos tenido que habernos preocupado por «forjar nuestro propio plan de ahorros» y automáticamente pagar todas las deducciones.

Pero la realidad es que, la gran mayoría de los millonarios en los Estados Unidos no heredaron sus fortunas. Las estadísticas demuestran que cuatro de cada cinco millonarios nunca heredaron más de diez mil dólares. Pero lo que ellos si hicieron fue tener estrategias de inversión como los Rockefeller y los Kennedy.

¡En otras palabras, los millonarios que se hicieron a puro pulso apalancaron su dinero para poder construir sus propias tuberías de Palm Beach! ¿Cómo lo hicieron? Al utilizar «el sistema de las tres alcancías» en vez de estar gastando cada centavo que ganan poniendo a un lado una buena parte del ingreso en el recipiente llamado «alcancía de inversión» y dejar que ésta creciera con el factor compuesto, año tras año.

Típicamente los millonarios ahorran entre el quince y el veinte por ciento de su ingreso bruto y lo invierten sabiamente en activos tales como acciones, bonos, o negocios estrechamente supervisados, alquiler de propiedades, propiedad raíz, fondos de pensión e inversiones similares, con lo cual construyen tuberías.

Por eso es por lo que los millonarios no logran llegar al millón de dólares hasta que no cumplen 50 o 60 años — por lo que el factor compuesto toma décadas realmente para que entre a operar. $10.000 dólares al diez por ciento % se duplica a $20.000 después de siete años … ¡pero en 50 años se duplicará 7 veces lo cual equivale a U$ 1,3 millones de dólares!

El poderío del factor compuesto

$10.000 @ 10% de interés

Año 1	7	14	21	28	35	42	49
$10.000	20k	40k	80k	160k	320k	640K	1.3M

¿Si no tiene dinero entonces qué puede apalancar?

¿No sería genial ser millonario? ¿Sabe que puede hacerlo y no hay necesidad de ganarse la lotería para lograrlo.

El club de los millonarios solía ser un club muy

exclusivo. Había que haber nacido en la familia correcta. Haber asistido a las escuelas correctas.

Pero ese ya no es el caso. Hoy en día, el promedio de las personas también puede ingresar al club de los millonarios. Está abierto para todos los que tengan la disciplina para invertir regularmente una porción de sus ingresos y dejar que la inversión crezca por el factor compuesto, a lo largo del tiempo.

Seamos realistas — no todo el mundo tiene la paciencia de construir un conducto de jubilación y esperar durante los próximos cuarenta o cincuenta años a la maduración de la inversión. Mas aún, no todos tienen el capital inicial para construir un conducto tipo «Palm Beach» de la noche a la mañana.

Por lo tanto, ¿No sería genial si hubiera un plan a cinco años para construir un conducto donde la gente común pueda crear ingresos residuales continuos sin tener que invertir una pequeña fortuna?

Pues bien sí hay tal plan a cinco años disponible. Y lo mejor de todo es que uno no necesita una gran cantidad de dinero para construir el conducto. Esto porque en vez de tener que apalancar su dinero … ¡tiene que apalancar el tiempo!

Apalancamiento del tiempo: El conducto de la gente

> Mientras Bruno descansaba en su hamaca por las tardes y durante los fines de semana, Pablo seguía cavando la zanja para su nueva tubería. Los primeros meses Pablo no tenía mucho que mostrar como resultado de sus esfuerzos. El trabajo era arduo — inclusive mucho más o pesado que el de Bruno porque Pablo estaba trabajando por las tardes y durante los fines de semana también.
>
> Pero Pablo se recordaba así mismo que el sueño del mañana se construía hoy a fuerza de sacrificios. Día tras día cavaba un centímetro a la vez.
>
> **—De *La parábola del conducto***

Hay una vieja expresión común entre los residentes de las montañas Apalaches que resume la diferencia entre apalancar el dinero y apalancar el tiempo. Versa algo así: «Hay dos maneras para lograr llegar a la cima de un roble. Uno se puede sentar encima de un pequeño retoño y esperar hasta que crezca y se convierta en un árbol grande. O se puede trepar el árbol».

Cuando las personas apalancan su dinero a lo largo de décadas para construir un conducto están escogiendo sentarse encima de un retoño a esperar. Yo lo llamo a este «el plan a 50 años para construir un conducto». De esto es de lo que se trata el factor compuesto — esperar pacientemente mientras su dinero se duplica una y otra vez a lo largo de los años.

No hay duda con respecto a que el plan de 50 años para construir una tubería funciona. Acuérdese cómo Margaret O' Donnell se transformó a través de ese conducto. ¡Y pasó de ser una profesora mal remunerada a convertirse en millonaria!

Al igual que Margaret O'Donnell yo también soy un gran creyente en construir conductos a largo plazo. A lo largo de los años, yo he apalancado una porción de mis ingresos para construir conductos tipo «Palm Beach» a través de fondos de pensión … de cuentas en la bolsa de valores … de planes de ahorros para pensión… y a través de inversiones en propiedad raíz. A eso se le llama la diversificación, también se le denomina construir fuentes de vida.

Plan a 50 años

- 🪙 Depósito de término fijo y bonos del tesoro
- 🪙 Fondo de pensiones
- 🪙 Acciones y bonos
- 🪙 El hogar

- 🪙 Seguridad social
- 🪙 401(K)
- 🪙 IRAS (Ahorros de pensión)
- 🪙 Propiedad raíz

¡Pero también soy un gran creyente en trepar Robles! Y llamo a la acción de 'trepar robles' el plan a cinco años para 'construir conductos'. Logra la misma meta que el plan a cincuenta años para construir conductos — la independencia financiera y la seguridad. ¡Pero también sólo requiere el diez por ciento del tiempo! Por eso es que yo he invertido tiempo, dinero y esfuerzo en construir varios negocios de rápido crecimiento. En vez de esperar cincuenta años para lograr estar 'en la cima del roble', yo también puedo construir negocios que me hacen llegar al mismo tope en sólo dos a cinco años.

Plan a 5 años para construir un conducto

Dueño independiente de negocio propio

El tiempo nos nivela a todos

La belleza de apalancar el tiempo es que a todos nosotros se nos ha entregado la misma cantidad de tiempo.

Lo que significa que el tiempo nos pone a todos en el mismo ámbito de las personas adineradas y de los que tienen grandes ingresos. No importa si usted es un millonario como Donald Trump... o un 'Donald' conductor de camiones... todos tenemos la misma cantidad de tiempo por día.

Por eso es por lo que yo llamo al apalancamiento de tiempo «el conducto de la gente». El tiempo está disponible en cantidades iguales para todos, sin importar si uno es rico o pobre... o hombre o mujer ... blanco o negro ... graduado universitario o expulsado del bachillerato ... joven o viejo ... ¿Eso no se puede decir acerca del dinero, o sí?

Imagíneselo de esta manera. ¿No sería grandioso si usted y todos nosotros pudiéramos empezar cada día con $1.440 dólares en nuestra cuenta bancaria personal? El dinero sería exclusivamente de cada cual y nadie le podría decir a usted qué hacer con él. Uno podría gastarlo... invertirlo... malbaratarlo.. quemarlo... regalarlo... apalancarlo... o desperdiciarlo, a sabiendas de que a la mañana siguiente, uno se despertaría con otros $1,440 dólares en su cuenta bancaria. ¿Si cada uno de nosotros pudiera empezar el día con $1,440 dólares, ¿no sería un mundo mejor y más justo?

¿Cierto que sí?

Pues nosotros todos estamos muy conscientes de que ese no es el caso. Cuando se trata de dinero, la vida no es justa. Algunas personas han nacido con una bandeja de plata, otras con una bandeja de plástico. Y aún otras sin bandeja y solamente con el pulgar que chupar. ¿Justicia? Tal vez no. Pero como dice la canción, «así es la vida, lo que será, será».

No todos empezamos con $1,440 dólares en nuestras cuentas bancarias — eso sí que es cierto. En lo que a tiempo se refiere — eso sí es un asunto totalmente distinto. Todos empezamos cada día con 1,440 minutos en nuestra cuenta de tiempo (multiplique 24 horas al día por 60 minutos por hora).

¡Cómo todos nosotros tenemos esa misma cantidad de tiempo, la diferencia entre las personas que viven de quincena en quincena y las personas que son financieramente libres está en cómo cada una utiliza los 1,440 minutos que se le adjudican diariamente!

Cuenta personal de tiempo

FECHA _____	**Chequera en tiempo** Fecha____
PARA: _cada día_	Páguese a la orden de _____ $ _____
DE: _____	*1.440 minutos cada día*

Todos tenemos más tiempo de lo que nos imaginamos

Algunas personas postergan construir sus conductos porque «ahora, en este tiempo, no es el momento adecuado para mí». Pues adivinen que — ¡Ahora es un mal momento para todos! Todos estamos estresados. Todos estamos ocupados. Todos vivimos siempre apagando incendios y sorteando emergencias inesperadas. Hay una palabra para estos malos ratos. ¡Se llama la vida cotidiana! Algunas personas desperdician sus vidas esperando 'el momento perfecto' para hacer x, y, o z. Pues bien, van a morir esperando, porque no hay tal 'momento perfecto'. Si alguien le dijera a usted que le va a dar un millón de dólares, si usted acepta sentarse en una esquina y ponerse a tejer durante dos horas al día por el resto del año, ¿encontraría o no el tiempo para sentarse a tejer? No importaría entonces si su hijo se fracturó el brazo en un parque o si su carro no encendiera para ir a trabajar. En vez de perder el millón de dólares, usted encontraría el tiempo para tejer dos horas al día, bien sea que fuera el momento perfecto o no. El humorista norteamericano Art Buchwald lo expresó de la siguiente manera: «No importa si es el mejor de los tiempos o el peor de los tiempos, es el único tiempo que tenemos».

Tristemente, la mayoría de las personas menosprecian el tiempo al asumirlo como algo dado, especialmente los pequeños momentos. Todos hemos estado condicionados a medir el tiempo en días y en semanas y en años, en vez de en minutos y horas.

Nosotros trabajamos de nueve de la mañana a cinco de la tarde, de lunes a viernes. Planeamos nuestras vidas de acuerdo al calendario mensual. Y celebramos los cumpleaños y los aniversarios una vez al año.

Pero el asunto más sorprendente del tiempo es cómo unos cuantos minutos aquí y allá cada día, pueden sumar hasta totalizar grandes cantidades de tiempo. Por ejemplo ¿sabía usted cuánto tiempo invierte una persona promedio en comer durante toda la vida?

¿Adivinó usted por casualidad un gran total de un año? O, ¿tal vez dos? ¡Pues la respuesta es seis años! ¿No le parece eso asombroso? Aquí hay otras tareas diarias breves que también suman una gran cantidad de tiempo:

El tiempo total que nosotros invertimos en tareas breves diarias durante toda la vida

6 años .... Comiendo
5 años......... Haciendo filas
4 años......... Limpiando la casa
3 años......... Preparando alimento
2 años .... Tratando de devolver llamadas
1 año .... Buscando las cosas que hemos extraviado
8 meses ...... Abriendo correo masivo
6 meses ...... Sentado esperando que el semáforo cambie de
   rojo a verde

¡De acuerdo con mis cuentas, lo anterior totaliza alrededor de 22 años de nuestra vida! ¡Lo cual demuestra que quince minutos aquí ... media hora ... y dos horas por otra parte ... pueden lograr tomar grandes cantidades de tiempo!

Unas cuantas horas pueden convertirse en meses

Solamente reflexione por un instante acerca de lo que se podría lograr en nuestras vidas si nosotros utilizásemos un par de horas cada tarde y los fines de semana para hacer algo productivo, como por ejemplo construir un conducto. Si uno apartase dos horas cada día laboral — digamos una hora en la mañana antes de ir a trabajar y una hora en las tardes —y tres horas más durante el sábado y el domingo, se podría lograr sumar al calendario propio hasta 16 horas de tiempo productivo a la semana.

Ahora bien, 16 horas a la semana durante cincuenta semanas al año, totaliza 800 horas extras por año … lo cual se puede computar en 100 días laborales … o tres meses y diez días de tiempo extra laboral cada año. Lo único que se tiene que hacer es apartar un par de horas al día para lograr tener meses extras de tiempo productivo por año. ¿Sorprendente no les parece?

Tiempo libre productivo

(2 horas por día* 5 días) = 10 horas a la semana
(3 horas sábados y domingos) = 6 horas a la semana

Total de tiempo extra: 16 horas / por semana

El tiempo es dinero

Ahora voy a hacerlos partícipes de un pequeño secreto — utilizar el tiempo productivamente es una
de las maneras claves cómo las personas exitosas
logran tener más bienes, hacer más cosas y extraer
más de la vida. ¿Creen que Bill Gates llega a su casa
a las cinco de la tarde cada día y se pone a ver Televisión durante siete horas por día como el promedio
de la mayoría de los hombres los Estados Unidos?

Yo no lo creo así ...

Un artículo reciente del Wall Street Journal dice
que en Norteamérica el diez por ciento mejor remunerado, trabaja un promedio de 52 horas a la semana, mientras que el diez por ciento peor remunerado
pagado trabaja solamente 45 horas a la semana.

¡No solamente el diez por ciento mejor remunerado trabaja más — sino que también trabaja más inteligentemente! En otras palabras ellos no hacen el
intercambio de tiempo por dólares. Uno no entra a
una tienda de ventas al detal y Michael Jordan está
detrás de una taquilla vendiendo cerveza y billetes
de lotería. ¡Las personas exitosas en cualquier ámbito de la vida laboral valoran mucho el tiempo, y
ellos buscan oportunidades para apalancarlo!

No desperdiciar, ni desear hacerlo

Las personas con frecuencia me preguntan a mí por
qué deberían apartar tiempo y esfuerzo para construir conductos cuando las cosas les están saliendo

tan bién durante ese momento. Ellos me dicen que se merecen tiempo para relajarse después de un arduo día de trabajo en la oficina. Ellos se recompensan a sí mismos al inclinarse en un sofá cómodo y ponerse a mirar televisión hasta la hora de dormir.

«Así como es ahora, la vida es buena», me dicen a mí. "Tengo un buen empleo. Tengo unos cuantos dólares en el banco. A los chicos les está yendo bien en el colegio. No hay necesidad de alterar las cosas».

Ahí es cuando les digo que no hay una mejor hora para construir un conducto que cuando las cosas están saliendo bien. ¿Por qué? ¡Porque cuando éstas cambian, ya va a ser demasiado tarde! Después de aclararles siempre comparto con ellos un viejo chiste:

Un hombre estaba en el trigésimo piso de un hotel muy exclusivo. Tenía una vista del parque central en la ciudad de Nueva York. Él levantó las persianas y abrió la ventana para disfrutar la vista. Apenas él sacó su cabeza fuera de la ventana, se sorprendió al ver que había un hombre que estaba cayendo contiguo a su ventana.

«¿Cómo le va?» le preguntó al hombre que se estaba cayendo.

«Muy bien — por ahora», fue la respuesta que escuchó.

El punto es que hay muchos transportadores de agua en baldes en el mundo a los que les está yendo bien — por ahora.

Pero ellos no pueden permanecer en caída libre

durante toda la vida. Mientras las personas intercambian tiempo por dólares, no hay ningún tipo de seguridad, ni malla salvavidas. ¿Por qué? Porque cuando usted es incapaz de adjudicarle el tiempo a la fuente de ingresos debido a una enfermedad … o un accidente … o a despidos, la quincena deja de ingresar.

¡Para los transportadores de agua en baldes, no tener un cheque al final de la quincena significa no tener seguridad!

La seguridad financiera

FECHA _____	Ch\era en tiempo	Fecha____
PARA: _____	Páguese a la orden de _____ $_____	
DE: _____		

No hay quincena = No hay seguridad

La fábula de la hormiga y el saltamontes

Durante esta época en la cual estoy escribiendo este libro, la confianza de los consumidores es alta. El desempleo está en su punto más bajo y los ingresos se están incrementando. Las ventas de hogares nuevos están llegando a un récord histórico y las ventas de automóviles se están disparando. Muchas de las personas están bien — por ahora.

No podemos caer en la trampa de «por ahora" y

confundirla con «por siempre». Todos sabemos que la vida tiene ciclos. Lo mismo ocurre en la economía. Actualmente los negocios están cerca de la cima del ciclo. El ciclo de la vida personal también puede estar en su punto más alto.

Pero todo lo que sube, tarde o temprano tiene que caer. Y cuando las personas empiecen a descender, algunos de esos se van a accidentar con la cruda realidad: los despidos, el cambio de carrera, las deudas de la tarjeta de crédito, las emergencias médicas o pagar un ancianato para los padres.

Algunas personas inteligentes entienden que el mejor momento para construir esos colchones de seguridad es cuando los negocios están en auge. ¡Las personas inteligentes construyen sus redes de seguridad antes de que empiece la recesión, no durante! Ahora, por eso es por lo que yo le digo a las personas que hoy es el mejor momento para construir conductos, no cuando la economía se paralice.

Es como la fábula de la hormiga y el saltamontes. La hormiga era un constructor de conductos. Apartaba sus días de verano para almacenar granos para el invierno. Aunque también disfrutaba del verano. Pero tenía la sabiduría para invertir parte del tiempo construyendo un conducto propio.

El saltamontes, por otra parte, era un transportador de agua en baldes. Gastaba todo su dinero apenas le entraba y malbarataba todo su tiempo jugando en el prado cuando había sol. Ignoraba el invierno que se avecinaba.

Cuando vino el frío intenso, no tenía ningún conducto instalado y se murió de hambre.

¡Págueme ahora... o mejor págueme más tarde!

Se acuerda de esa vieja publicidad que decía «¡págueme ahora... págueme más tarde!», Lo mismo se aplica a la construcción de los conductos. Uno puede 'pagar un poquito ahora' al empezar a invertir parte de su tiempo y dinero en construir una tubería como fuente de vida o .... puede 'pagar mucho más, más tarde' al luchar para sobrevivir con un cheque de pensión social exiguo, cuando se tenga sesenta o setenta años de edad.

Reflexione un momento — ¡si sus tuberías ya están instaladas — en vez de tener que pagar más tarde... a usted le van a pagar más tarde! ¡Que concepto tan poderoso!

Plan pague ahora   plan pague más tarde.

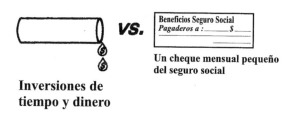

VS.

Beneficios Seguro Social
Pagaderos a :_____ $_____

Un cheque mensual pequeño del seguro social

Inversiones de tiempo y dinero

Apalancamiento de tiempo: El conducto de la gente

¡Se acuerdan — de que el tiempo iguala a todos, ricos y pobres!

NO TODOS tenemos la misma cantidad de dinero para apalancarnos. ¡PERO TODOS SÍ TENEMOS la misma cantidad de tiempo! Al apalancar parte de nuestro tiempo de descanso de manera sabia, se puede construir un conducto que va a continuar rindiendo dividendos durante años.

Nosotros somos afortunados porque estamos viviendo en una era en la cual virtualmente cualquiera puede apalancar su tiempo para construir conductos. Las cosas no siempre fueron así.

Al final del siglo XIX sólo los muy adinerados tenían el lujo de poder apalancar su tiempo. En 1890, la gran mayoría de las personas trabajaba diez horas al día, cómo obrero. Estaban demasiado ocupados tratando de sobrevivir como para poder pensar en apalancamiento.

Pero hoy en día más personas tienen más tiempo libre que jamás en la historia. ¡Y el tiempo es el gran nivelador de personas! El tiempo permite que un Juan Pérez pueda jugar en las grandes ligas. A los ricos no se les dan 48 horas al día mientras que a los pobres doce. Ambos tienen la misma cantidad de tiempo— 24 horas al día, siete días a la semana, 365 días al año.

La mejor herramienta de apalancamiento del tiempo en la historia de la humanidad

Hoy día, los conductos ya no son reservas de adinerados. Cualquiera que tiene un poco de tiempo … y mucha automotivación … puede apalancar su tiempo para construir 'uno de los conductos de la gente' en dos a cinco años, para que este conducto fluya durante años — o inclusive décadas.

¡De hecho, tenemos en este instante, en nuestras manos, la mejor herramienta de apalancamiento del tiempo en la historia del mundo! Esta herramienta de apalancamiento de tiempo ha hecho más millonarios en menos tiempo que ninguna otra invención en la historia de la humanidad. Yo llamo a esta herramienta asombrosa «el conducto — E», y es lo máximo para apalancar el tiempo. Usted probablemente conoce el conducto — E por nombres distintos — el nombre que siempre vemos en los titulares del periódico y en las pantallas de televisor día a día.

¿Cuál es ese nombre?

La Internet.

La mejor herramienta de apalancamiento de tiempo en la historia de la humanidad

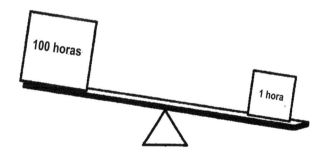

PARTE 3

Lo Máximo en conductos

Factor E— compuesto:
Lo máximo en conductos

> Pablo el hombre de las tuberías más tarde fue conocido como Pablo el hacedor de milagros. Los políticos lo citaban por su visión y le rogaban que se lanzase como Alcalde. Pero Pablo comprendió que él no había realizado ningún milagro sencillamente era el primer paso de un gran, gran sueño. Verán, Pablo, tenía sueños que iban más allá de la aldea.
>
> ¡Pablo tenía la intención de construir conductos a lo largo y ancho de todo el mundo!
>
> —de *La parábola del conducto*

Hasta este punto, nosotros hemos hablado acerca de cómo las personas pueden apalancar el tiempo y el dinero para construir conductos continuos de ingreso residual.

La pregunta es: ¿Cuál es el conducto más poderoso y productivo de la nueva economía?

La respuesta es la Internet, una tecnología de vanguardia que yo llamo 'el conducto — E de la nueva economía'. Amigos, la Internet está transformando la manera de vivir en el mundo. Cambia cómo se funciona, se trabaja y se juega. ¡En otras palabras, la Internet es el futuro — y el futuro ya llegó!

¡En este capítulo voy a demostrar cómo uno puede explotar la mejor herramienta de apalancamiento de la historia: la Internet — al crear chorros continuos de ingreso residual que uno puede construir en dos a 5 años en vez de en cincuenta!

Apenas comienza la revolución de la Internet

La era de la Internet está revolucionando el mundo, ciertamente.

Jack Welch, el presidente ejecutivo de General Electric, le dijo al periódico *Wall Street Journal* que la Internet era el negocio de mayor cambio en su vida — ¡Y, Welch nació en 1936!

Andy Grove, el Presidente de la junta de Intel, fue aún más directo en su evaluación: «En cinco años cada compañía estará en la Internet — o no será una compañía».

El mundo está cableado, totalmente cableado después de todo

¿Qué es lo que hace al conducto de la Internet tan poderoso? Pues bien, piense por un momento en qué es lo que realmente es la Internet — es millones de personas en el globo … cada una conectada — a una computadora o un teléfono celular … capaz de, instantáneamente, comunicarse o vender a cada uno de nosotros, veinticuatro horas al día, siete días a la semana y 365 días al año… todo por el precio de una llamada de teléfono local.

¡Es difícil imaginarse eso en la mente! La Internet es tan rápida como la velocidad de la luz… cuesta unos cuantos dólares utilizarla … siempre está en línea… y tiene un sin número de aplicaciones … e interconecta al mundo. Ah, y hay cien millones de personas conectadas a la red en menos de la mitad del tiempo que tomó construir el puente Brooklyn en New York. Para el año 2003, más de mil millones de personas estarán conectadas en línea … comprando un billón de productos y servicios vía el comercio electrónico (comercio — E).

Eso no es charla — ¡Es una revolución global!

La Internet

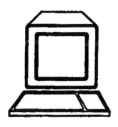

Su ordenador personal,   **el globo**

Mil millones de personas en línea,
Comercio — e = 1 billón de dólares al año

El problema con la Internet

La Internet es verdaderamente revolucionaria — pero está muy lejos de ser perfecta, de hecho tiene un problema. ¡Y ES UN GRAN PROBLEMA!

La fuerza más grande que tiene la Internet también es su debilidad mayor debilidad — ¡Es demasiado grande! Está demasiado copada. Es demasiado confusa. Es demasiado competitiva. Es demasiado tecnológica. ¿Dónde compra uno? ¿Cómo compra? ¿En quién se puede confiar?

¡Es abrumadora! De acuerdo con los expertos, los sitios de 'comercio — E' están enfrentándose a tres grandes retos:

1) Que necesitan más tráfico
2) Que necesitan más ventas
3) Que necesitan más negocios repetitivos

La Internet necesita clientes reales

En síntesis, la mayoría de los sitios de 'comercio — E' adolecen de clientes — clientes leales. Al decir 'leales' quiero decir personas que tengan un motivo para comprar en el sitio de 'comercio — E', semana tras semana, mes tras mes, en vez de una vez, o de vez en cuando.

Escuchamos muchas charlas acerca de cuantas consultas en «Hit's» tiene un sitio web. Pero las consultas no necesariamente significan ingresos. Consultas son como peatones que forman clubes para caminatas y se reúnen en las mañanas en un centro comercial local. Utilizan el centro comercial para hacer ejercicios, no para hacer compras. No tienen intención alguna de hacer compras. Una vez que terminan su caminata, se meten a sus vehículos y se van a hacer compras en algún otro sitio.

De la misma manera, las consultas en una página web son como las personas que van a caminar pero esta vez a través de la Internet. Las consultas no representan ingresos. ¡Las ventas representan ingresos! Y la verdad es que la mayoría de los sitios de 'comercio — E' adolecen de suficientes ventas.

¿Por qué? Porque en la mayoría de los sitios, los compradores no tienen un incentivo para hacer una compra semanal o mensualmente. Los usuarios de Internet no tienen lealtad porque la mayoría de los sitios de 'comercio —E' están más preocupados por ofrecer el menor precio que en establecer relaciones a largo plazo.

El problema más grande de la Internet

una computadora con poca lealtad

¡Las relaciones interpersonales al rescate!

¿Cuál es el secreto para crear lealtad en los clientes en la era de la Internet?

Las relaciones interpersonales.

Establecer relaciones interpersonales reales, sólidas como una roca, a largo plazo, con gente real (a diferencia de relaciones de alta tecnología con 'cristalinos' y con consultas («hit's») eso es lo que separa a los sitios de 'comercio — E' exitosos de los que quieren serlo).

Verán, la alta tecnología de la Internet necesita el toque personal que tan sólo dan las relaciones interpersonales. Tal y como observó John Naisbitt hace unos veinte años, «mientras más evoluciona la alta tecnología, más relaciones de alta sensibilidad se van a requerir». Por eso es por lo que hoy en día, más que nunca, las personas buscan y necesitan la calidez del toque humano para hacerle contrapeso al ambiente frío del 'puntocom' y de los dígitos.

Reflexione sobre esto por un instante — ¿Usted escogió la última película que vio gracias a una publicidad desplegada en una página web? No es probable. Muy seguramente un amigo o un compañero de trabajo le recomendó una película. Lo mismo ocurre con los sitios favoritos de las páginas web. La mayoría fueron recomendados por alguien que sabía y confiaba, a diferencia de usted, víctima de un anuncio publicitario de la televisión comercial o de un «Click» de uno de esos «banners» rotativos en Internet.

La verdad es que, las recomendaciones voz a voz

siempre han sido la manera más efectiva de hacer publicidad. Eso es especialmente cierto hoy día. Verán, las personas negocian con personas. La gente confía y valora las relaciones interpersonales de alta sensibilidad. ¿No es cierto? Las relaciones interpersonales resuelven la falencia más grande de la Internet — la falta de clientes leales.

Es ahí donde usted entra a jugar un papel preponderante.

Usted recomienda productos y servicios todos los días, una y otra vez, gratuitamente. Y las personas compran según las recomendaciones que se les haga. ¿No sería grandioso que lo remuneraran por esta recomendación? ¡Sí, se puede hacer! Al apalancar su tiempo, puede crear clientes leales para sitios de 'comercio-E', impulsados por relaciones interpersonales… ¡Mientras crea un conducto de ingreso residual para sí mismo! Es una situación donde todos ganan. Los sitios de 'comercio — E' obtienen más clientes leales. Y usted, recibe remuneración al recomendar productos y servicios que utiliza y disfruta.

Yo llamo a esto lo máximo en conductos.

Y estaba esperando a alguien para que lo explote … ¡tal vez usted!

Lo máximo en tuberías

el comercio—e sale ganando   usted sale ganando

| más clientes leales | y más dólares por sus referidos |

Usted habla ... y ellos utilizan la tecnología

Básicamente, así es como funciona lo máximo en conductos: usted se asocia con un afiliado a un negocio de 'comercio — E'.

Su papel es «hablar» — usted dirige a las personas al sitio de 'comercio — E' de la compañía. A cambio de sus recomendaciones, el 'negocio — E' le paga a usted una comisión por todos los productos comprados por sus referidos.

El papel de la compañía de comercio — E es «proveer la tecnología» — ellos proporcionan una página web... procesan órdenes en línea... despachan los productos... procesan las tarjetas de crédito... y manejan la contabilidad. A cambio de pagar honorarios por referidos, la compañía obtiene clientes leales que retornan a la página web una y otra vez.

Cómo dije, es una situación donde ellos ganan y usted gana. ¡Todos ganan! La compañía resuelve su mayor problema — la falta de lealtad de los clientes. Y usted construye un conducto de ingreso residual continuo.

Usted habla. Ellos aplican la tecnología. Es sencillo — ¡Brillantemente sencillo!

Con lo máximo en conductos, no se necesita tener destrezas especiales. Sólo tiene que hacer lo que hace todos los días — hablar con personas, ayudar a que superen el temor a la Internet ... ¡y le van a pagar por ello!

¿Cuánto puede devengar en este sistema que son lo máximo en conductos? Eso depende de cada cual.

¡El cielo es el límite! Mientras más personas hablen en su red de referidos, mayor va a ser su conducto de ingreso residual. De hecho, es muy común que las personas reciban un ingreso residual de decenas de miles de referidos... ¡Inclusive de cientos de miles de personas referidas!

¿Cómo es que un individuo puede personalmente recomendar productos a decenas de miles de personas? «¡Eso es imposible!» Tal vez se puede decir a sí mismo.

¡No es imposible si utiliza la magia del factor compuesto! Como podrán ver próximamente, Einstein tenía una muy buena razón para llamar al factor compuesto 'la octava maravilla del mundo'.

El factor compuesto — E: lo máximo en conductos

¿Se acuerda de la historia que relatamos anteriormente acerca del emperador chino y el señor que inventó el ajedrez? El inventor solamente quería un grano de arroz como compensación, pero él quería que eso se duplicara por cada recuadro en el tablero de ajedrez. ¡En total terminó siendo diez veces más arroz de lo que había en todo el mundo! La historia ilustra el sorprendente poderío del factor compuesto, también llamado 'el concepto de duplicación'.

Sólo imagínese por un momento que ocurriría si usted tomase este concepto del factor compuesto ... y de alguna manera lo combinase con el comercio — E. Los resultados serían «factor compuesto — E».

El poderío del factor compuesto

○	8	88	8	16	32	64	128
256	512	1K	2K	4K	8K	16K	32K
....	....	....	....	....	....	....	....
....	....	....	....	....	....	....	....
....	....	....	....	....	....	....	....

Sólo piense acerca del potencial del 'factor compuesto — E' — el crecimiento exponencial del factor compuesto ... combinado con el alcance y la velocidad de la Internet. ¡TREMENDO!

Pues bien, eso es lo que yo llamo 'el factor compuesto — E', lo último en conductos — a usted se le paga con factor compuesto por el tiempo y por las relaciones que mantiene en la Internet. Solo reflexione sobre esto, con el factor compuesto— E, usted puede obtener los resultados de la tubería tipo "Palm Beach", sin tener que invertir una fortuna.

En lugar de apalancar su dinero, lo que tiene que apalancar es el tiempo y las relaciones interpersonales para construir lo máximo en conductos. Ya es hora de averiguar cómo:

apalancándose con lo máximo en conductos

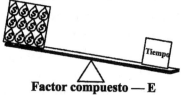

Factor compuesto — E

Las matemáticas del factor compuesto— e:
(1 + 1) x 12 = ¡crecimiento explosivo!

¿Cree que es posible encontrar a una persona por mes para que se asocie en su nuevo negocio del factor compuesto — E?   ¿Sólo un socio que esté interesado en más seguridad financiera... más libertad... más reconocimiento... y más felicidad? ... Una persona al mes — es lo único que se necesita.

**Factor compuesto— E
MES 1**

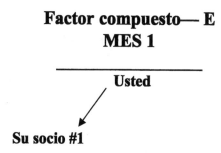

Una vez que se haya asociado con una nueva persona, usted se convierte en su nuevo orientador. Le enseña a él o a ella cómo formar alianzas con otros afiliados, con sus amigos y sus conocidos, mientras usted se asocia con una segunda persona. Por lo tanto al final del mes 2 usted habría ya tenido dos socios afiliados. Mientras tanto, su primer socio ya habría traído una nueva persona a su red de afiliados

**Factor compuesto — E
MES 2**

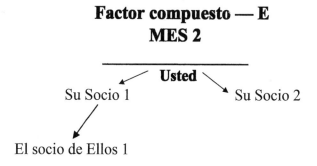

Ahora tiene un grupo de cuatro — usted y tres otros ¿No es cierto? (Usted puede construir su red de factor compuesto — E más rápido al asociarse con más personas al mes, pero asumamos que usted toma las cosas suave y mantiene el curso de manera consistente).

Entonces sigue repitiendo el proceso. Para el final del primer año, usted se habría asociado personalmente con doce individuos — una persona por mes. Y ahora supongamos que cada una de esas personas se ha asociado con una persona cada mes también.

Aquí es donde la magia el factor compuesto empieza a surtir su efecto. Para el final del mes 12, su red compuesta pudo haber crecido a 4.096 afiliados independientes dueños de su propio negocio.

¡Factor compuesto — E!

Mes 12

Está usted

1 2 3 4 5 6 7 8 9 etc.

1 2 3 4 5 6 7 8 9 etc.

Total 4.096 personas

Ahora viene la parte realmente emocionante. La compañía de 'comercio —E' le paga a usted un porcentaje por el volumen de ventas que toda su red de afiliados consuma. Si usted tiene cuatro mil personas, contando un promedio de cien dólares de productos por mes, el total de volumen de ventas es $400.000 dólares — ¡por mes! Si su socio 'de negocio — E' le pagaría entre uno y tres por ciento de ese volumen, por lo que estaría devengando entre cuatro mil y doce mil dólares al mes.

Factor compuesto — E

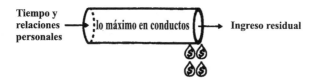

¿Ahora ven por qué es que llamo al 'factor compuesto — E' lo máximo en conductos? Porque combina el crecimiento exponencial del factor compuesto con la conveniencia y el alcance del comercio — E. No sólo lo máximo en conductos mantiene un ingreso de utilidades, sino que también, al igual que como lo hizo Pablo, uno puede hacer crecer el conducto al apalancar el tiempo, en vez del dinero.

No se requiere de destrezas especiales

La belleza 'del factor compuesto — E' es que uno

no necesita una gran cantidad de dinero para iniciar. Sólo se toma unos cuantos meses y unos cuantos años para construir, a diferencia de requerir décadas. Y uno no necesita tener destrezas especiales. Lo único que se tiene que hacer es lo mismo de todos los días — ¡hablar con las personas! Usted las ayuda a que se ahorren toda la confusión y los comandos complicados de la Internet — ¡y, a usted le pagan por eso! Si sabe hablar... apuntar con un ratón y hacer "clic" ... entonces usted puede apalancar su tiempo y sus relaciones personales para construir lo máximo en conductos.

Lo máximo en conductos nos permite aprender de las personas que tienen conductos tipo "Palm Beach" — nosotros nos copiamos del concepto del factor compuesto, pero en vez de aplicar el factor compuesto con nuestro dinero, le aplicamos el factor compuesto a nuestro tiempo al dedicarlo a las relaciones interpersonales. Producto de lo anterior, nosotros podemos obtener resultados iguales a los conductos tipo "Palm Beach" con una fracción del dinero — ¡y una fracción del lapso!

Por eso es por lo que cientos de miles de personas promedio, a lo largo y ancho del mundo, están ocupadas construyendo lo máximo en conductos. Ellos están disfrutando de los mismos beneficios de los cuales gozan los ricos con sus conductos tipo "Palm Beach", pero en vez de tener que apalancar toda una gran cantidad de dinero, ellos están apalancando el tiempo. En vez de tener que esperar hasta los cincuenta años de edad para recibir los beneficios de sus conductos, ellos pueden empezar a disfrutar de las utilidades en meses.

¡No es nada como para quemarse el coco!

2 Tipos de apalancamiento

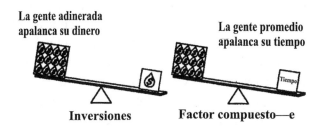

La gente adinerada apalanca su dinero

Inversiones

La gente promedio apalanca su tiempo

Factor compuesto—e

Los nuevos modelos de negocios para el nuevo milenio

Gary Hamel, autor del éxito de venta *"Liderar la revolución",* dice que en un mundo de alta tecnología, "Sólo las compañías que son capaces de crear industrias revolucionarias van a poder prosperar en la nueva economía". Hamel argumenta que hoy, las compañías van a tener que competir no sólo en productos y servicios si no que también en su habilidad para ingeniarse ideas innovadoras sobre modelos de negocios.

Él continúa diciendo que crear mejores conceptos de negocios no es nada nuevo. Henry Ford creó un concepto revolucionario el cual fue hacer un carro que cualquier obrero podía pagar. Ford originalmente construyó un carro para que supliera las necesidades de todos — él decía: "Usted puede tener un modelo "T" de la Ford en cualquier color que desee, siempre y cuando ese color sea el negro", era la respuesta que solía dar Ford ante la solicitud de tener todo tipo de variedad.

Alfred Sloan de la General Motors mejoró el concepto de Ford. Él entendió que el cliente era el rey, y buscó la manera de atender las necesidades y los gustos individuales. El lema de Sloan que ahora es famoso es "un carro para el propósito y el bolsillo de cada cual". Por lo que el concepto de negocio de Sloan era mejor, la GM sobrepasó a la Ford. Hoy en día GM es el mayor generador de ingresos muy por encima de cualquier compañía en el mundo.

Modelos nuevos y mejorados

Al igual que la GM, el factor compuesto — E es una mejora sobre el concepto original del comercio — E, una mejor manera de atraer nuevos clientes y de fomentar la lealtad. El 'factor compuesto — E' me recuerda de *"El circo de la familia",* una tira cómica donde Dolly, una niña de 5 años, le explica a su hermano menor de dónde es que vienen las mariposas:

"Las mariposas son una forma nueva y mejorada de un gusano", decía ella.

¡Pues bien, el factor compuesto —E es el concepto de comercio —E solo que nuevo y mejorado! Sin la publicidad voz a voz... sin los honorarios por referidos... y sin el poderío del factor compuesto, el comercio —E nunca hubiera salido de su propio capullo.

Comercio —E   Vs   Factor compuesto —E

| Le faltan clientes leales | Montones de clientes leales |

Pero el factor compuesto —E ofrece una manera nueva y mejorada de hacer el comercio —E para que éste abra sus alas y llegue a realizar todo su potencial. Producto de lo anterior, las compañías de Internet basadas en referidos están floreciendo mientras que cientos de 'tiendas a descuento —E' se están ahogando en deudas.

Pero en vez de un carro que se ajuste a todas las necesidades y a todos los bolsillos, el factor compuesto —E es un conducto para cada propósito y para cada bolsillo.

Su propósito tal vez pueda ser devengar suficiente dinero como para poder tener una navidad muy agradable. O tal vez su propósito sea escapar de ese empleo que tiene y que no lo va a llevar a ninguna parte. Tal vez desee construir lo máximo en conductos para que dichas tuberías le den la vuelta al globo.

Y su bolsillo tal vez le diga que el propósito es ganarse unos cuantos dólares extras al mes. O su bolsillo tal vez le diga que se debe convertir en un multimillonario.

El factor compuesto es lo máximo en conductos.

¿Qué tan grande lo convierta es su propia decisión?

¿Qué de lo máximo en conductos prefiere tener?

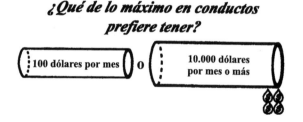

¿ Prefiere un plan a cincuenta años?...o ¿ Un plan a cinco años?

> Tristemente sin embargo, la mayoría de las personas que transportaban baldes descartarían rápidamente la noción de una tubería. Pablo y Bruno escuchaban siempre las mismas excusas una y otra vez.
>
> Entristecía mucho a Pablo y a Bruno que tantas personas careciesen de visión.
>
> —De *La parábola del conducto*

Conozco un viejo chiste que nos enseña dos lecciones importantes acerca de los conductos: Un hombre llamado José trabajaba durante años en un empleo de baja remuneración que odiaba, pero José estaba obsesionado con retirarse rico. Así que él ahorraba y contaba cuanto centavo tenía y trabajaba durante las noches y, en los fines de semana tenía un segundo empleo para así tener suficiente como para financiar su 'conducto' de inversión.

Después de cincuenta años, su disciplina y los sacrificios lo recompensaron: ¡él finalmente era financieramente libre! ¡José decidió que ahora que tenía setenta años de edad, iba a darse la gran vida! Él decidió que era la hora de empezar a disfrutar de los grandes placeres de la vida. Decidió realizar lo que había soñado durante años como por ejemplo ir a bucear por todas las partes del mundo. José gastó sus dólares en lecciones para aprender a bucear y en equipos. Viajó en primera clase a Hawai donde había reservado unas 'suites' en el Hotel "Rick Carlton".

Al día siguiente se dirigió hacia unos de los mejores sitios para buceo de Hawai ¡Sus sueños finalmente se habían hecho realidad! Él alcanzó a sentir mucho orgullo mientras se vestía y se ponía su equipo costoso — un traje de buzo hecho justo a la medida … unos tanques de oxígenos de aluminio especialmente construidos para él … y unas cámaras fabricadas y de ingeniería alemana para tomar fotos debajo del agua … un bolígrafo a prueba de agua y un tablero para escribir debajo del agua todos los apuntes. ¡José estaba listo!

Saboreaba cada minuto a medida que nadaba hacia abajo divisando la zona coralina de todos colores como el arco iris. Fotografió los peces exóticos a medida que descendía. Su primera sumergida era todo lo que él había soñado. Él ya había gastado decenas de miles de dólares en su nuevo hobby, pero sentía que valía cada centavo.

"Valió la pena la espera", José se dijo así mismo. "¡Todo es perfecto!"

De repente, José vio a otro hombre nadando solamente diez pies debajo de él utilizando tan solo un traje de baño. José furiosamente escribió un mensaje en su tablero. Luego se lo mostró al hombre y lo tocó en los hombros para que lo leyera. José regañó al señor cuando le pasó el tablero que tenia el siguiente mensaje: "Yo he gastado miles de dólares en equipo de buceo, y aquí está usted nadando en un traje de baño. ¿Qué es lo que pasa?"

El hombre le arrebató el tablero y escribió, "¡me estoy ahogando!"

Muchas personas se están ahogando

¡La primera lección que uno aprende de este chiste es que las cosas no siempre son lo que parecen! José pensó que este señor estaba disfrutando de una sumergida de placer. Pero la verdad era muy diferente — ¡El señor se estaba ahogando!

Las apariencias también son engañosas cuando se refieren a las finanzas. Las personas que utilizan relojes Rolex y ropa de modistos de renombre, pueden parecer independientes financieramente — pero, ¡también muchos de ellos se están ahogando en deudas!

Cuando Thomas J. Stanley y Willian D. Danko, autores de *"El millonario de al lado"*, empezaron a investigar sobre el tema de su libro, ellos buscaron entrevistas con las personas que tenían un valor neto de un millón de dólares o más. Asumiendo que las personas adineradas vivían en las zonas más costosas, los autores fueron a hacer encuestas a las personas en los mejores vecindarios del país.

Pero los autores rápidamente descubrieron que muchas de las personas que vivían en las grandes casas y conducían los automóviles más lujosos, no habían acumulado casi riqueza. ¿Por qué? Porque ellos estaban gastando todo su dinero en mantener ese pomposo estilo de vida, en vez de ahorrar una porción para construir conductos.

Stanley y Danko adoptaron un dicho muy típico Texano para describir a estos super consumidores: "de sombreros grandes, sin ganado". Esta metáfora de vaqueros bosqueja muy claramente una imagen vívida, ¿No es cierto?

sombrero de sombreros grandes, sin ganado un

El poderío del plan a 50 años para construir un conducto.

La segunda lección que podemos aprender sobre la historia de buceo tiene que ver con el plan de José:

Convertirse en alguien financieramente libre. El plan de José, a 50 años, de construir un conducto, es un ejemplo clásico de buenas y malas noticias en una sola. Miremos las buenas noticias primero.

¡Las buenas noticias acerca del plan a 50 años de construir un conducto es que funcionan! Ahorrar e invertir pequeñas cantidades de dinero en la bolsa mensualmente a lo largo del tiempo, es una manera comprobada para que las personas de ingresos modestos se conviertan en financieramente independientes.

La clave de las inversiones a largo plazo es hacer consignaciones periódicas a lo largo del tiempo y dejar que éstas crezcan con el factor compuesto, año tras año. Si las personas empiezan a una edad temprana, y mantienen su plan de construir un 'chorro', ellos se pueden convertir en millonarios al ahorrar tan sólo cien dólares al mes. ¿Imposible me dicen? La siguiente tabla les puede aclarar el tema:

Cómo acumular un millón de dólares para cuando tenga 65 años de edad
Asumiendo una tasa de retorno anual del 12%

Ahorros anuales	Ahorros Diarios	Ahorros Mensuales	Edad de Inicio	Años que se requieren para llegar a U$1 Millón
25	U$3.57	U$109	U$1.304	40 Años
35	U$11.35	U$ 345	U$4.144	30 años
45	U$38.02	U$1.157	U$13.879	20 años
55	U$ 156.12	U$4.749	$56.984	10 años

Tomado del The investor por Neil E. Elmouchi
* Considerando que el promedio del mercado es 11% durante los últimos 70 años y 25% en la última década 12% es una tasa retorno razonable.

Es sorprendente saber qué tan es fácil convertirse en millonario si uno empieza en construir un conducto a largo plazo con suficiente antelación. ¡Virtualmente cualquiera que está por encima de la línea de la pobreza lo puede hacer! Lo único que cualquiera necesita hacer es invertir U$3,57 al día, todos los días, en un fondo mutual que tiene un retorno de inversión del 12%, y dejarlo que crezca con el factor compuesto durante los próximos cuatro años. ¡Un millonario instantáneamente! (Pues bien tal vez no del todo "instantáneos" — pero ¡definitivamente millonario!) Mírelo de la siguiente manera — uno de cada tres norteamericanos fuma cigarrillos. En el Estado de la Florida, una cajetilla de cigarrillos cuesta U$3,57. ¡Si cada persona que fuma dejara de hacerlo a la edad de 25 años e invirtiera ese dinero de sus cigarrillos en la bolsa de valores y dejara que esta inversión creciera por el factor compuesto durante los próximos 40 años, un tercio de todos los Estadounidenses serían millonarios para cuando cumplieran 65 años!

¿Asombroso no les parece? ¿No les habría gustado que alguien les hubiera dicho eso cuando tenían 25 años de edad? Inclusive a los 35 o a los 45. Es posible que un hogar promedio se vuelva un hogar de millonarios a través de un conducto. ¡Pero las personas que esperan hasta los 55 años para empezar a ahorrar para su jubilación están enfrentándose a una montaña demasiado empinada. ¡Eso definitivamente es cierto!

El mayor riesgo de todo es no invertir en el mercado. Muchas personas todavía piensan que es demasiado riesgoso poner a producir su dinero en la bolsa de valores. Y, sí lo es. Algunas acciones pierden valor. Y algunas veces todo el mercado decrece, cómo ocurrió en la caída de 1929.

Pero todos los genios de "Wall Street" dicen que a lo largo del tiempo, invertir en el mercado es mucho más fácil y mucho más seguro que construir un conducto que genere utilidades. Los hechos respaldan a los expertos: durante los 200 años de existencia de la bolsa de valores de Nueva York, las acciones en promedio han crecido dos de cada tres días. Desde la segunda guerra mundial, las acciones en el mercado de valores han crecido 71 veces, a pesar de las nueve recesiones durante los últimos 55 años.

De acuerdo con el libro de Jeremy Seagle: *"Las acciones para el largo plazo"*, en los últimos 195 años desde 1802 hasta 1997, un dólar invertido en oro hubiera crecido hasta convertirse en U$11,17. Ese mismo dólar invertido en acciones hubiera crecido, con el concepto del factor compuesto hasta convertirse en U$7,5 millones de dólares.

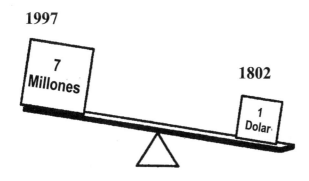

El mercado en la bolsa de valores

El punto aquí es que construir un plan a 50 años sí tiene mérito. ¡Sin duda alguna! La mayoría de las personas tienen varios conductos a 50 años en construcción. Su hogar es un conducto a largo plazo. El seguro social es otro. Desgraciadamente demasiadas personas dejan de construir conductos después de haber construido dos.

La mayoría de las personas tienen un plan a 50 años de construir un conducto

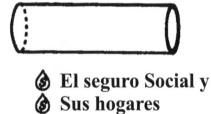

⑤ **El seguro Social y**
⑤ **Sus hogares**

Las personas inteligentes por otra parte, continúan construyendo conductos a largo plazo adicionales a través de portafolios de inversión ... planes de pensiones ... cuentas de retiro... y otras inversiones parecidas. Todas éstas son muy buenos conductos a largo plazo y están disponibles para cualquiera que tenga suficiente sentido común y disciplina para construirlo a lo largo del tiempo.

Los planes a 50 años de construir conductos, de las personas inteligentes.

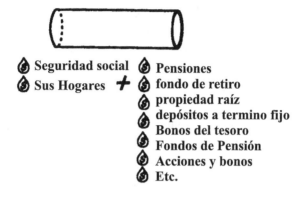

💧 **Seguridad social**   💧 **Pensiones**
💧 **Sus Hogares** ✚ 💧 **fondo de retiro**
                        💧 **propiedad raíz**
                        💧 **depósitos a termino fijo**
                        💧 **Bonos del tesoro**
                        💧 **Fondos de Pensión**
                        💧 **Acciones y bonos**
                        💧 **Etc.**

El lado flaco de un plan a 50 años

De acuerdo. Ya les he mencionado todas las buenas noticias acerca de un plan a 50 años — virtualmente cualquier familia trabajadora puede construir un conducto de un millón de dólares si deciden empezar a ahorrar mes a mes y dejar que su inversión crezca con un factor compuesto a lo largo del tiempo.

Pero la mala noticia es que la mayoría de las personas no van a disfrutar de los beneficios de esa tubería hoy en día — más bien van a tener que esperar 20…30… 40… ¡o inclusive 50 años!

Y tengo que admitirlo a título personal — yo quiero disfrutar hoy de las buenas cosas que la vida tiene, no dentro de medio siglo. Sí, yo sí creo en construir conductos a largo plazo. Tengo varios en construcción. Pero la verdad es que, a mí, me gusta gastar más dinero que ahorrarlo. Me gustan las cosas que el dinero puede comprar. Y también espero que usted se sienta de la misma manera.

Y disfruto mucho de una gran comida en un restaurante de primera categoría.

Me gusta llevar a mi familia a pasar unas vacaciones donde se puede esquiar y a viajar en un crucero — hemos creado nuestras mejores memorias tal vez durante las vacaciones.

Me encanta el olor del interior de los nuevos automóviles, cuando los alquilamos en vacaciones.

Me gusta más conducir un Mercedes grande en vez de un pequeño Mazda.

También me gusta utilizar mi teléfono celular a cualquier hora, no solamente en las tardes y en los fines de semana cuando las tarifas son más baratas.

Yo prefiero gastarme U$20 yendo al cine cuando sale un nuevo estreno, que esperar tres meses a que salga en VHS para poderlo alquilar por tres dólares.

En síntesis lo que quiero decir es que: los conductos a largo plazo son esenciales para las personas que desean disfrutar de una jubilación libre de preocupaciones. Ese es el motivo por el cual todos deberían construir conductos a 50 años.

Pero seamos realistas — ¿Realmente queremos esperar 50 años para poder disfrutar de los beneficios de un conducto? ¡Yo no! Yo estoy dispuesto a hacer sacrificios para construir mi conducto de jubilación. Pero no quiero tener que vivir como un monje durante 50 años para poder hacerlo. Yo deseo vivir mis sueños ahora, mientras todavía soy joven y mis hijos todavía están en el hogar. No quiero esperar a cumplir 65 o 70 años para empezar a vivir mis sueños

—como le sucedió al que va a bucear en la historia del principio de este capítulo. Estoy seguro que usted se siente igual.

¡Tener la torta y podérsela comer a la vez!

Cómo dije anteriormente, una tubería a largo plazo debe ser uno de los conductos que usted debe construir. Pero no debe ser el único que construya. De la misma manera como no debe poner todos los huevos en un solo canasto, uno no debe poner todas sus utilidades en un sólo conducto.

Pues bien, con un plan de conductos a cinco años, usted no solamente puede diversificar su portafolio de conductos, si no que también puede tener grandes sueños y empezar a vivirlos de una vez, en vez de esperar a que tenga sesenta o setenta años de edad. ¡Uno sí puede tener la torta en el horno y comérsela a la vez! Reflexionemos al respecto — ¿No preferiría ser financieramente en libre en cinco años en vez de cincuenta?

Obviamente que sí. ¿O no?

¡Por eso es que recomiendo construir un conducto a cinco años, mientras uno construye su conducto a cincuenta años!

2 tipos de tuberías

Uno a largo plazo   &   Corto plazo

50 años		2-5 años

Lo máximo en conductos — el factor compuesto — E se puede construir en dos a cinco años, en vez de cincuenta … y puede generar utilidades en meses en lugar de hacerlo en décadas. Usted puede empezar a construir lo máximo en tuberías en su tiempo libre, en las tardes y los fines de semana, hasta que gradualmente, comience a generar suficientes utilidades. En ese momento ya valdrá la pena que también empiece a dedicarle a esta construcción parte de sus horas hábiles.

Solamente piense, lo máximo en conductos puede lograr que usted llegue a la cima de ese árbol en una fracción del tiempo que le tomaría a otros hacerlo a través del conducto a cincuenta años. Y lo mejor de todo, es que uno no tiene que ahorrar o invertir un montón de dinero para construir su conducto a cinco años. ¡Lo único que necesita es apalancar su tiempo y sus relaciones personales!

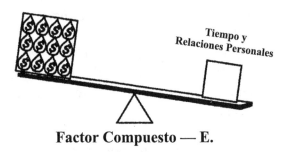

Factor Compuesto — E.

Viva para hoy... planee para el mañana

Hace muchos años mi padre me dio un gran consejo. Él dijo: "Vivir hoy, pero planear para mañana".

Nunca he olvidado esas palabras, y se las repito frecuentemente a mis hijos.

Construir un conducto a cinco años mientras usted está construyendo un conducto a cincuenta años lo faculta para que siga el sabio consejo de nuestros ancestros.

Verán, lo máximo en planes de conducto — el conducto a cinco años — le permite a uno vivir hoy porque usted puede empezar a disfrutar de los frutos de su trabajo en meses. El plan de conducto a cincuenta años, por otra parte, le permite planear para el mañana. ¡Por eso es por lo que le aconsejo a las personas que construyan conductos tanto a largo plazo como a corto!

Los conductos son la fuente de vida

50 años   **2 a 5 años**

Inversiones   Factor Compuesto—E

Seguridad   Libertad   Felicidad   Control

Cuando mi padre me aconsejó: "Vivir hoy, planear para el mañana", lo que el realmente estaba diciendo era: "Conductos para su vida". Así que conviértase en un constructor de tuberías, no en un transportador de baldes".

Gran consejo, padre. Gran consejo.

CONCLUSIÓN

La parábola de lo máximo en Conductos

Año 2.001, Valle Silicona, EE.UU.

Había una vez, no hace mucho tiempo, o de hecho muy recientemente, dos primos ambiciosos uno llamado Paul y otro llamado Bruce. Ellos trabajaron hombro a hombro como gerentes de medios en Cistern International, un conglomerado multinacional que era dueño de plantas generadoras de electricidad y de acueductos en muchas partes del mundo.

Los jóvenes eran grandes camaradas.

Y grandes soñadores.

Ellos hablaban acerca de cómo un día, de alguna manera, ambos serían totalmente libres financieramente. Ambos eran muy brillantes y muy trabajadores, lo único que necesitaban era una oportunidad.

Un día ésta ocasión llegó. La compañía decidió nombrar a los dos amigos como altos gerentes en una división de software en el ámbito mundial de Cistern. A los dos Les duplicaron sus salarios mensuales.

"¡Este es nuestro sueño hecho realidad!" exclamó Bruno.

"No puedo creer nuestra buena fortuna".

Pero Pablo no estaba tan seguro.

Al final del primer día, después de trabajar 10 horas, a Pablo le dolía la espalda y las yemas de sus dedos estaban adoloridas de tanto digitar al acondicionar software, hecho justo a la medida. Él estaba encargado de 50 empleados. La mayoría no era muy cooperadora y ellos no estaban motivados. Pablo detestaba la idea de tener que viajar a las oficinas en el extranjero y quedarse fuera de su casa durante semanas. Su jefe en Cistern era temperamental, brusco y muy exigente. Pablo odiaba tener que ir a trabajar cada mañana. Él se prometió que encontraría una mejor manera de vivir y de trabajar.

Pablo, El Hombre del Conducto

Pablo, el fabricante de conductos, a la mañana siguiente, antes de sentarse cada cual en su escritorio y arrancar sus servidores le dijo a Bruce: "tengo un plan".

"En vez de estar intercambiando nuestro tiempo y talento para responderle al tirano de nuestro jefe y supervisar a empleados pocos motivados a cambio de un salario quincenal, por qué no nos apalancamos en La Internet para crear un ingreso residual.

"Tener un empleo es como tener que transportar agua en baldes", Pablo continuó diciendo: "un baldado de trabajo es igual a un baldado de remuneración. Pero si se suspende el trabajo debido a enfermedades o a despidos, también se suspenden los pagos de quincena".

Un empleo

Un baldado **=** **Un baldado**
de trabajo **de remuneración**

"Lo que necesitamos es una carrera que cree un ingreso residual continuo… Tener un ingreso re-sidual es como construir una tubería — nosotros hacemos el trabajo una vez y nos pagan una y otra y otra vez. Bruce nosotros necesitamos empezar a actuar como si fuésemos constructores de tuberías en vez de transportadores de agua en baldes".

La tubería

Ingreso residual

"Un antiguo empleado mío me está ayudando a construir un conducto en la Internet. Él lo llama lo máximo en la Internet porque combina el poderío del comercio — E, con el poderío del factor compuesto. Lo máximo en conductos es mi negocio — seré el propietario. Estaré trabajando desde mi casa. No hay gastos administrativos. No hay empleados. Ni nómina, ni tampoco inventarios. Esto es totalmente eficiente, cero gastos. Es agresivo. Está fundamentado y tiene bases sólidas en la web. Esta idea ofrece una manera de crear un ingreso residual continuo".

Lo máximo en tuberías

Factor Compuesto — E

- sin jefe
- seguridad
- libertad
- independencia
- negocio propio

- Sin empleados
- Sin nomina
- Con pequeños inventarios
- Sin gastos administrativos

Bruce quedó estupefacto.

"*¡Un conducto en la Internet!*" *¡Quién ha escuchado tal cosa!"* Replicó Bruce.

"Tenemos un gran empleo", Bruce dijo enfáticamente. "¡No hay que cambiar las cosas! Tenemos seguridad laboral, con grandes beneficios".

"Tenemos los fines de semana libres y nos dan dos semanas de vacaciones al año. ¡Estamos hechos de por vida! ¡Olvídate de esa idea de lo máximo en tuberías!"

Pero Pablo no se desanimaba fácilmente. Él, pacientemente, explicó su plan acerca de lo máximo en conductos a su mejor amigo. Pablo trabajaría parte de su tiempo en su empleo regular y utilizaría sus tardes y los fines de semana para construir un conducto en la Internet.

Pablo también sabía que eso tomaría un año, posiblemente dos, ante de que lo máximo en tuberías pudiese ser lo suficientemente grande cómo para empezar a generar grandes utilidades. Pero Pablo creía en el sueño de tener negocio propio. Ser amo y señor de su propia vida. Él tenía la determinación de hacer que esto funcionara.

Pequeñas acciones redundan en grandes resultados

Mientras Bruce se sentaba en el sofá durante las tardes y los fines de semana, Pablo seguía construyendo lo máximo en tuberías.

Los primeros meses Pablo no tenía mucho que mostrar a cambio del esfuerzo. Él tenía que aprender bien un sistema y enseñárselo a otro. Él hablaba todos los días con su mentor y asistía durante los fines de semana a seminarios para mejorar sus destrezas en construir un nuevo negocio. Él leía libros de crecimiento personal y escuchaba las cintas recomendadas por sus mentores.

Día a día, Pablo mejoró sus destrezas comerciales. Aprendió cómo abordar a las personas para iniciar una conversación. Cómo hacer que las personas se sientan cómodas con empezar a hablar acerca de sus sueños. Cómo manejar objeciones de una manera decorosa. Cómo entrenar a la gente para hacer que lo mejor de cada cual florezca. Gradualmente, él empezó a creer más y más en sí mismo... en sus oportunidades ... y en sus nuevos socios de negocios. Este era un nuevo territorio para Pablo. Pero a medida que su conocimiento y su confianza crecían, lo mismo sucedía con su conducto en la Internet.

Pablo seguía recordándose que los sueños del mañana se construían con los sacrificios de hoy. Día a día, construyó lo máximo en conductos, conversación tras conversación.

"Si mi sueño es lo suficientemente grande, los hechos realmente no cuentan", él se repetía así mismo a medida que levantaba el auricular para llamar a otro prospecto.

"El fruto de las inversiones a corto plazo, en suma, son recompensas a largo plazo" él se decía así mismo cuando fijaba sus metas diarias y sus metas semanales. Sabía que a medida que pasara el tiempo, los resultados excederían los esfuerzos con creces. Siempre más allá de lo que uno se pueda imaginar.

"Mantenga su vista en el premio" se repetía una y otra vez a medida que se quedaba dormido mientras escuchaba las cintas de entrenamiento de otros constructores exitosos de negocios — E también exitosos.

"Mantenga su vista sobre el premio…"

Se voltean los papeles

Los días se convirtieron en meses.

Un día Pablo se dio cuenta de que su producto — E estaba produciendo suficientes utilidades cómo para igualar la mitad de su salario mensual. Pablo continuó trabajando arduamente en su empleo diurno, pero utilizaba su tiempo libre aún más productivamente. Él sabía que era solamente una cuestión de meses antes de que su ingreso del trabajo de tiempo parcial excediera el ingreso de su trabajo de tiempo completo.

Pablo durante su hora de almuerzo en Cistern, miraba a su viejo amigo Bruce saltando de cubículo en cubículo. El trabajo de Bruce era similar a tener que transportar baldes y empezaba a volverse agotador. Bruce estaba viéndose cada vez más y más estresado por las exigencias que hacia el jefe … los plazos poco realistas … y los rumores diarios de despido.

En los fines de semana, Bruce escribía docenas de cartas de renuncia. Pero nunca las enviaba por correo.

Él tenía cuentas que pagar. Puesto que dependía del pago de su quincena, él se sentía atrapado, imposibilitado para renunciar. Y también sentía un vacío interior. Pero la papelera en la oficina no estaba vacía sin embargo. Estaba llena hasta el tope con cartas de renuncia arrugadas en forma de bola...

El día de la renuncia

Finalmente, el gran día llegó para Pablo — el cheque mensual de su conducto — excedió el monto que él recibía de salario en Cistern. Su esposa hizo unas fotocopias a color del cheque de Cistern y del cheque de su nuevo negocio —E y los enmarcó uno al lado del otro. Sus socios de la nueva tubería lo animaban mientras él ayudaba a enmarcar los cheques. Luego hubo destellos de luz con el "flash" para que no salieran las fotos muy oscuras. Y los ojos de Pablo brillaban de felicidad.

Un día en el futuro

Pablo era el único trabajador en Cistern que no vivía intimidado por su jefe. ¡Por lo que ya tenía lo máximo en conductos, Pablo era libre! Ese conocimiento le daba toda la confianza. Él manejaba las múltiples explosiones de su jefe con calma. Sólo hacía gestos con sus hombros y miraba a su jefe fríamente a los ojos cuando aquel tenía esos ataques de ira.

"No es necesario gritar" le respondía Pablo con firmeza. Yo estoy de pie frente a usted. ¿No estaría de acuerdo en que sería mucho más efectivo si discutiéramos esto de con calma?"

Sus compañeros empezaron a llamar a Pablo el domador de leones por la manera cómo él manejaba a su jefe. Pero Pablo entendió que él no era domador de su jefe. Solamente estaba ahí, enfrentándolo porque él ya no tenía el poder para controlar la vida de Pablo.

Una tarde Pablo se sentó en la oficina que tenía en su casa y escribió la siguiente carta:

> *Estimado jefe:*
>
> *Le estoy escribiendo esta carta para informarle que efectiva, e inmediatamente estoy renunciando de Cistern International.*
>
> *He disfrutado mi tiempo en la compañía, pero lamento informarle que Cistern no puede ya pagar mis servicios.*
> *Atentamente,*
>
> *El constructor de "conductos".*
> *Pablo.*

El protagonista de nuestra historia sintió el impulso que da la libertad, y dobló su carta de renuncia y la introdujo en un sobre. Él miraba su futuro con optimismo y esperanza. Pablo entendió que lo que él había logrado con su conducto de Internet era sólo la primera etapa de un gran sueño.

Verán, Pablo tenía planes para llegar mucho más lejos, mucho más allá de las paredes de Industrias Cistern.

Pablo planeaba construir un conducto en Internet por todo Norteamérica — y eventualmente por todo el mundo.

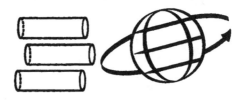

Reclutar a sus amigos para que lo ayuden

El negocio de Pablo cimentado en la web continuó floreciendo. Él nunca se había sentido tan feliz … ni tan pleno, y lo mismo no se podía decir acerca de sus compañeros de trabajo en Cistern. La compañía estaba emigrando cada vez más a los negocios en línea, lo cual significaba que el departamento donde trabajaba Pablo se tenía que reducir.

Debido al gran salario que tenía, Bruce fue el primero en ser despedido. Le dolía mucho a Pablo ver que Bruce tenía que mendigar de sus amigos para que le diesen trabajo cómo consultor en los ordenadores personales ya anticuados. Así que Pablo organizó una reunión con Bruce, y le dijo: "Bruce, he venido aquí a pedirte ayuda".

Bruce enderezó sus hombros jorobados, y sus ojos

oscuros se achicaron con extrañeza.

"No te burles de mí", replicó Bruce.

"Yo no he venido aquí a hacer chistes", le dijo Pablo. He venido para compartir y ofrecerte una gran oportunidad de negocios. Me tomó a mí dos años para que mi conducto de Internet empezara a generar suficientes utilidades como para que yo pudiera renunciar de Cistern. Pero he aprendido mucho de esa época. Ahora sé cómo es que se construye lo máximo en conductos, cómo hablar con las personas, cómo construir equipos, cómo crecer negocios al hacer que las personas crezcan. He aprendido a utilizar un sistema comprobado que me faculta a mí y hará lo mismo con mis socios para que construyamos otro de esos conductos tan excepcionales. Y luego otro, y otro y otro.

Un sistema de construcción de conductos

Libros Cintas Reuniones Eventos Productos Metas

"Yo necesito socios para construir conductos", continuó diciendo Pablo: "Yo te voy a enseñar todo lo que sé acerca de construir conductos cimentados en la web. Y no te voy a cobrar ni un solo centavo por ello. Lo único que te pido a cambio es que tu aprendas el sistema que yo te enseñe y luego que le enseñes a otros …. Y logres hacer que ellos le enseñen a otros … hasta que consigamos que haya "lo máximo en tuberías" en cada una de las ciudades de Norteamérica … y eventualmente, en cada hogar de cada ciudad del mundo.

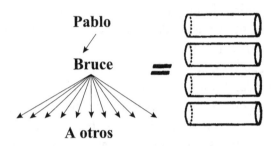

"Solamente piensa", continuó diciendo Pablo. "Nosotros podríamos devengar un pequeño porcentaje de cada una de las compras que hagan en línea a través de nuestro conducto. Mientras más volumen fluya dentro de nuestra tubería en línea, más dinero llegará a nuestros bolsillos. Lo máximo en conductos que yo he construido no es el fin del sueño: ¡Es sólo el comienzo!" Bruce finalmente vio el panorama global. Sonrió y le extendió la mano a su primo. Ambos estrecharon sus manos… y se abrazaron como cuando eran viejos amigos.

Devolver el favor

Pasaron los años. De Pablo y Bruce se sabe que se jubilaron hace mucho tiempo. Sus negocios de conducto en Internet, en todo el mundo, todavía les están generando millones de dólares al año que se depositan automáticamente en sus cuentas bancarias.

Los viejos amigos han tenido tiempo para viajar y para visitar sitios exóticos por todas partes del mundo. Un día, Bruce le pidió a Pablo que se reunieran para almorzar. Él tenía unas noticias muy emocionantes que compartir.

"Pablo, hace muchos años me diste un gran regalo al compartir una oportunidad de negocios cimentada en la web. Ese regalo cambió mi vida para siempre. Yo pasé años rompiéndome la cabeza tratando de saber cómo pagarte el favor. Es por eso por lo que te he invitado aquí. Aquí está mi regalo para ti".

Bruce sacó un sobre que estaba dirigido a Pablo. Adentro había dos boletos de primera clase a Italia.

2 boletos a Italia

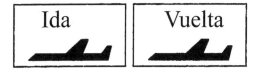

"No tienes que" …empezó diciendo Pablo, pero Bruce lo interrumpió.

"Déjame ser el que hable en este instante", dijo Bruce. Desde que éramos niños, nuestros padres nos habían dicho que nuestras familias emigraron de Italia. Pues bien, gracias a la Internet, he logrado rastrear las raíces de nuestras familias. Hasta llegar a dos primos que vivieron en una pequeña aldea en el centro de Italia.

"Pablo, este es mi regalo para ti", continuó diciendo

Bruce: "Nosotros vamos a regresar a esa aldea. Vamos a caminar hasta llegar a la plaza central donde nuestro tatara tatara abuelo y todos los otros aldeanos se conocieran para llenar sus baldes en el aljibe que está en la plaza central. Y nos vamos a arrodillar y a darle gracias a nuestros ancestros y a Dios por construir una tubería de bendiciones que ha fluido libremente por nuestras vidas"

Cerrar el ciclo

Pablo miró anonadado a su primo en silencio.

Luego se inclinó y tomó ambas manos de Bruce firmemente. "Solamente tengo una solicitud", Pablo le dijo calladamente.   "¿Podrías cambiar la fecha de salida, en vez entre una semana mejor para mañana?"

# # #

Dos semanas más tarde ...

El aeropuerto en Roma estaba lleno. Pablo y Bruce estaban regresando a los Estados Unidos después de dos maravillosas semanas en Italia. Ellos habían caminado las calles por donde caminaron sus ancestros. Y habían cenado en las casas de docenas de parientes lejanos.

Era un viaje inolvidable y ambos se sentían renovados y reconectados producto de la vista. Se sentaron uno contiguo al otro en la terminal del Aeropuerto, leyendo copias del mismo libro. De vez en cuando uno de los hombres se inclinaría hacia su amigo y le resaltaría un pasaje del libro que leía.

" O, ¡No! — no otra vez" gritaba otro individuo en el pasillo. Mi vuelo ha sido cancelado — ¡OTRA VEZ! ¡Nunca voy a poder salir de aquí!"

"Ese también es nuestro vuelo" le decía Pablo moviendo su mano al apuntar hacia el monitor que estaba suspendido encima de ellos.

"Cancelado. ¿Y, ahora qué?" Pablo miró a su viejo amigo. Bruce le devolvió la mirada — y luego ellos sencillamente sonrieron.

"¿Estás pensando lo mismo que yo?" Le preguntó Bruce con una sonrisa.

"¿Te está pasando por la cabeza lo mismo que a mí?" Sonreía Pablo.

"¡Caramba! Parece que nos vamos a tener que quedar otra semana aquí!" Gritaron al tiempo ambos a medida que se ponían de pie y chocaban sus manos para darse un saludo cómplice, que sólo ellos podían comprender.

El hombre que estaba al otro lado los miró cómo si esos dos amigos fueran un par de marcianos.

"¿Por qué diablos están ustedes dos tan contentos?" Se preguntó con incredulidad. "Yo he estado atrapado en el aeropuerto durante dos días, no pude asistir al cumpleaños de mi hija, dos años seguidos. He estado en distintas zonas donde me ha tocado que cambiar el reloj cada vez durante el último mes. Tan es así, que yo ni siquiera sé qué día es. Y si eso no es suficiente, no voy a poder cumplir con mis metas de ventas". Este año porque uno de mis clientes se tornó un poco avaro y no quiso llegar a un arreglo conmigo".

"Discúlpenos" le dijo Bruce. "Nosotros podemos simpatizar con usted. ¿Antes reaccionábamos de la misma manera que usted, no es cierto Pablo?"

"Así es", dijo Pablo". Llenos de estrés. Llenos de problemas. Agotados. Exhaustos. Piense en cualquier otra palabra que termine en 'ado' y nosotros también la hemos experimentado. Pero eso nos pasaba, en esa época antes de haber construido nuestros conductos, ¿Cierto Bruce?"

"¿Qué quieren decir, con eso de: "sus días antes de los conductos?", preguntó nuestro personaje estresado y desconocido. "¿De qué se trata todo eso?"

"Nos encantaría explicarle", le dijo Pablo alegremente. "Pero, mi amigo y yo tenemos que ir a la taquilla de alquiler de automóviles. Si usted nos da una tarjeta suya, lo llamaremos tan pronto como regresemos a los Estados Unidos".

El desconocido estresado les entregó su tarjeta. A cambio, Pablo le entregó este libro.

"Aquí esta, lea esto mientras espera su vuelo", le dijo Pablo. "Cuando yo lo llame, el libro le va a dar algo de qué hablar conmigo".

Pablo le dio unas palmadas a Bruce en la espalda y lo orientó hacia la taquilla de alquiler de automóviles. Pausadamente se retiró no sin antes leer la tarjeta comercial del extraño estresado. Decía:

Bob Bruno, Esq
ABOGADO LITIGANTE
Teléfono 9800 — DEMÁNDELOS

"Bob Bruno, Abogado", leyó en voz alta Pablo. Estoy seguro de que el señor Bruno recibiría agradado la oportunidad de construir una tubería ¿No es cierto? Bruce lentamente pronunció el nombre. "Bruno, Bruno". "El nombre Bruno me suena terriblemente familiar".

"Por alguna razón, Bruce, yo tengo una buena corazonada acerca de este señor Bruno", dijo Pablo. "Es el mismo sentimiento que tuve cuando ingresé a este negocio. ¡Pienso que nuestro amigo Bruno va a ser un excelente constructor de tuberías!" Pablo y Bruce le dieron un vistazo nuevamente a su nuevo conocido.

El abogado rendido por el cansancio, colocó el libro sobre sus piernas. Mientras miraba fijamente la carátula, murmuraba en silencio y repetidamente el título.

Luego, con suavidad, cómo cuando un hombre mayor abre un regalo de su nieto favorito, abrió el libro llamado *La parábola del conducto* — y empezó a leer...

LA PARABOLA DEL CONDUCTO